PATRICK BEAUDUIN

A une "Grande Gueule" avec qui je partage ces pages de [illegible]
XXX

LE LONG PARCOURS D'UNE GRANDE GUEULE

Guy Saint-Jean Éditeur
3440, boul. Industriel
Laval (Québec) Canada H7L 4R9
450 663-1777
info@saint-jeanediteur.com
www.saint-jeanediteur.com

....

Données de catalogage avant publication disponibles à Bibliothèque et Archives nationales du Québec et à Bibliothèque et Archives Canada

....

Nous reconnaissons l'aide financière du gouvernement du Canada par l'entremise du Fonds du livre du Canada (FLC) ainsi que celle de la SODEC pour nos activités d'édition.

SODEC
Québec

Gouvernement du Québec — Programme de crédit d'impôt pour l'édition de livres — Gestion SODEC

Révision : Lyne Roy
Correction d'épreuves : Émilie Leclerc
Conception graphique : Rodéo Atelier créatif
Photo de la page couverture : Jean Vachon

Dépôt légal — Bibliothèque et Archives nationales du Québec, Bibliothèque et Archives Canada, 2016

ISBN : 978-2-89758-082-7
ISBN ePub : 978-2-89758-083-4
ISBN PDF : 978-2-89758-084-1

Imprimé et relié au Canada
1re impression, mars 2016

Guy Saint-Jean Éditeur est membre de l'Association nationale des éditeurs de livres (ANEL).

À VALÉRIE, mon éternelle Étoile du Berger.

À MES ENFANTS, Charlotte et Adrien, à qui j'aurais voulu offrir – plus tôt – un autre papa.

À MJ pour qui je suis si heureux d'être devenu cet autre papa.

À MES AMIS de la Maison des Leaders du Québec, Rémi, Serge, Charles-Mathieu, Céline, Danielle et tous les autres, qui sont là pour toujours...

À TOUS MES COLLÈGUES de Cossette et de Radio-Canada qui – sans le savoir – m'ont dit de continuer.

À GABRIEL FAURÉ et César Franck.

« **VOUS** n'êtes pas responsable de la tête
que vous avez.

MAIS vous êtes responsable de la gueule
que vous faites. »

– Coluche

TABLE DES MATIÈRES

PRÉFACE

J'aime écouter la radio lorsque je suis en voiture. Si j'ai de la chance, le divertissement devient découverte et apprentissage. Parfois même émerveillement. Il y a quelques années, alors que je roulais sur l'autoroute 20, j'ai subi un choc dont je ne me suis jamais vraiment remis. Une voix grave et forte avait capté mon attention. Elle portait une parole neuve, éclairante et empreinte d'une grande intelligence. Elle parlait – je m'en souviens comme si c'était hier – de l'image en « haute définition » et de l'impact que ce genre d'image avait sur nos vies, de cette exigence de perfection que nous éprouvions, désormais, à propos de tout et de rien. Cette voix nous conduisait bien au-delà de la surface et des apparences ; elle effectuait un véritable tour de force car, en l'espace de quelques instants, elle nous donnait accès à la profondeur. Avec une habileté pédagogique qui tient à la fois du don et du vécu, elle offrait un regard fin sur ces nouvelles réalités qui nous façonnent. Oui, soudainement, sur l'autoroute 20, je découvrais, j'apprenais et je m'émerveillais. L'émission, *Indicatif présent*, était animée par Marie-France Bazzo, et son invité s'appelait Patrick Beauduin. J'étais loin de me douter que cet homme deviendrait un grand ami et qu'il se qualifierait un jour de « grande gueule ». J'étais loin de me douter que cette voix forte pouvait aussi servir d'armure.

La première fois que j'ai rencontré Patrick, j'ai été intimidé. Sa voix demeurait impressionnante de confiance, et ses propos, admirables de lucidité, d'audace et d'intelligence. S'ajoutait à cet ensemble un bagage de connaissances et d'expériences qu'on ne rencontre que rarement au cours d'une vie. J'étais intimidé, je dis. De quoi ne pas oser prendre la parole par crainte de dire des bêtises ou de ne rien dire d'intéressant. La peur puérile de n'être pas à la hauteur, d'être jugé, voire rejeté, par quelqu'un dont on voudrait se rapprocher : les pirouettes de l'ego à son meilleur !

Puis, peu à peu, cette peur s'est dissoute ; j'ai connu l'homme et sa quête. La grande gueule a cessé de m'intimider, j'ai appris à aimer l'homme qu'elle cachait.

Il est toujours possible d'apprivoiser soi-même sa peur du rejet ou de l'indifférence, mais il arrive que l'autre la fasse fondre pour soi, sans qu'on ait rien eu à dire ou à faire. J'ai eu le privilège d'assister à la métamorphose de la « grande gueule ». Rien à voir avec l'image vieillotte du papillon qui quitte l'enveloppe ; c'était plutôt une chrysalide qui donne accès à l'intérieur de l'enveloppe – pendant que la métamorphose s'opère. Par des gestes, des mots et des regards, Patrick contredisait cette idée reçue : « À partir d'un certain âge, on ne change plus. » Il passait de la parole forte à l'écoute forte ; de l'armure à la nudité – celle du cœur, de l'âme. Il quittait le besoin de dominer pour entrer dans celui de servir.

Ce livre raconte cette courageuse transformation. Au fil d'une écriture somptueuse et lumineuse, nous suivons le parcours passionnant d'un homme qui s'éveille à ce qu'il est véritablement et qui, plutôt que d'utiliser sa grande gueule comme une arme protectrice, s'en fait un outil qui contribue à nourrir et à relier.

Ce récit s'adresse à des leaders, bien sûr, mais il rejoindra ceux et celles qui croient encore qu'on peut, à partir de ses blessures, aller vers la bienveillance et la compassion. Il inspirera aussi ceux et celles qui désirent bâtir un monde meilleur, où le bien commun guide les cheminements et sert de trame aux rêves.

Merci Patrick !

Serge Marquis

CHAPITRE 1

TINTIN AU CONGO: L'APPRENTISSAGE DE L'ABUS DE POUVOIR

C'était il y a longtemps.

Un autre siècle, un autre temps. C'était au temps des colonies belges.

Depuis 1908, la Belgique avait annexé l'État indépendant du Congo après l'avoir reçu par testament de son roi défunt, Léopold II. Immense territoire riche de tous les minerais, de toutes les matières premières, ce Congo belge était, au lendemain de la Deuxième Guerre mondiale, une terre d'accueil bien attirante pour les jeunes Belges en quête de travail, d'une nouvelle vie. Pour un jeune couple, la colonie était une sorte d'eldorado où il ferait bon fonder confortablement une famille loin des cendres d'une Belgique épuisée.

Mes parents avaient choisi le Congo pour fuir un autre mariage arrangé par mes grands-parents maternels – eh oui déjà – et pour ne rien arranger du tout, je baignais dans le ventre de ma mère en attendant de débarquer à Léopoldville[1], où il était prévu que je pousse mon premier cri de futur leader.

1 Léopoldville, capitale du Congo belge, sera rebaptisée Kinshasa en 1966.

J'ai dû trouver ça très chaud de naître dans un tel climat, ou peut-être pas : 36 degrés à l'ombre comme fœtus, ça ressemblait pas mal à l'automne congolais que je découvrais en ce mois de mars 1953. Aussi humide, aussi chaud, aussi collant.

Les premières années de cette vie de fils de colons sont dans ma mémoire comme une succession de petites photos jaunies aux bordures dentelées plus ou moins naturelles, plus ou moins nettes. Et si ces images ont réussi à traverser les années avec assez d'insistance, c'est sans doute pour m'aider aujourd'hui à revivre ces premiers pas qui ont construit ce que je suis devenu : une grande gueule.

À l'époque, la vie des colons était bien confortable. Et pourtant, mes parents n'étaient ni planteurs, ni exploitants de mines, ni propriétaires d'une quelconque entreprise d'import-export. Ils étaient juste de petits employés. Papa vendait des camions GMC dans une concession, il avait toujours aimé les camions. Maman était secrétaire à l'ambassade américaine, une année à Cambridge et une bonne dose de sténo lui avaient suffi pour décrocher le boulot. C'était le temps où les messieurs portaient des pantalons à pinces et les dames, des robes aux imprimés à fleurs.

Cela dit, leur statut de petits colons ne les empêchait pas d'avoir à la maison cinq personnes à leur service : un cuisinier qui connaissait l'art de la *moambe* – délicieux plat traditionnel qui goûte les épinards – ou des bananes plantain, un jardinier qui veillait à ce que les rats du fleuve Congo ne viennent pas tout ravager, un blanchisseur (eh oui ! on l'appelait ainsi) qui s'occupait de la lessive et du repassage à longueur de journée (les couches à l'époque étaient encore en tissu), un chauffeur et… ma Mama.

Nourrice adorable, Mama, cette sorte d'infirmière toute de blanc vêtue, accompagnait mon quotidien, que ce soit pour mes courses en jeep à pédales autour de la maison, mes incessantes visites au zoo de la ville ou ma découverte des albums de Tintin avec leur légendaire dos de tissu rouge.

Je disais « ma » Mama parce que oui, elle m'appartenait : c'est moi qui décidais, c'est moi qui voulais aller ici ou là et « ma » Mama devait s'arranger pour que cela se fasse en toute sécurité. Ainsi, je serais un enfant heureux et… mes parents auraient la paix. Drôle d'apprentissage qu'être fils de colons en ces années 50.

En fait, colon, c'était déjà être chef, peu importe l'âge, le sexe. Pourvu que ma peau soit blanche, j'avais le droit de commander, le pouvoir de râler et presque la légitimité de punir. Du haut de mes trois ans, j'avais déjà le droit de menacer, sinon de dénoncer.

Qu'en ai-je fait en ces temps lointains ? En ai-je tant abusé ? Ai-je fait souffrir ma bien-aimée Mama ? La mémoire est traîtresse et, plus d'un demi-siècle plus tard, je ne peux répondre avec précision.

Ce qui est certain, c'est que ce pouvoir de graine de colon, je l'ai absorbé à mon insu, comme une perverse infusion, un doux poison que j'appellerais aujourd'hui, avec le recul, l'*arrogance des nantis.*

CE qui est certain, c'est que ce pouvoir de graine de colon, je l'ai absorbé à mon insu, comme une perverse infusion, un doux poison que j'appellerais aujourd'hui, avec le recul, l'*arrogance des nantis.*

On sous-estime souvent l'influence de nos premiers pas dans le monde des adultes : il est évident que les *boss* ne sont pas tous nés au temps de *Tintin au Congo*. Vivre au milieu de ce rapport de force permanent a instillé un sentiment de domination dans ma petite tête de gamin rouquin en culotte courte à bretelles.

Avoir en permanence autour de moi des adultes à mon service alors que je savais à peine marcher et encore moins parler avait quelque chose de totalement malsain. Le monde de l'époque ne mettait aucunement en doute cette situation, et moi je grandissais dans cette pièce de théâtre où les rôles étaient clairement distribués sans aucun mérite : le Blanc commande, le Noir obéit. Quel que soit son âge.

Étais-je un sale gamin ? Peut-être, sans doute même. C'était clair que j'apprenais à commander sans avoir aucune compétence.

La petite graine de « chef » avait trouvé son terreau, sa lumière.

La vie ne tarderait pas à me donner un bel exemple de légitimité pour justifier sa croissance.

En 1956, les « petits » colons que nous étions ne manquaient de rien, d'autant plus que ces cinq personnes à notre service étaient là pour nous, pour l'éternité, et que, grâce à nous – croyions-nous –, elles vivaient une vie plutôt privilégiée. Elles avaient un travail, un lit, un accès à des médicaments… tout, quoi.

Aveugles nous étions. L'année 1960 et ses indépendances arrivaient à grands pas et nous, les petits chefs blancs, nous ne voyions rien… ou pas grand-chose, aveuglés que nous étions par notre soi-disant supériorité.

Aveuglés aussi au point de ne pas écouter certains personnages politiques congolais, comme Patrice Lumumba, Joseph Kasavubu ou Moïse Tshombe qui avaient pourtant commencé à manifester clairement leur volonté de mettre fin à cette colonisation – proche de l'apartheid à pas mal d'égards – pour bâtir un pays indépendant.

Mais c'est là une autre histoire…

Les colons vivaient donc dans la soie, les blanches cotonnades toujours bien repassées, les chemises aux plis parfaits, les chambres sans moustiques, sourds que nous étions aux tremblements de l'Histoire en marche, nourris par la conviction que cette vie était là pour rester et qu'avoir du personnel taillable et corvéable faisait partie de l'ordre éternel des choses.

À cette époque, l'ordre des choses c'était entre autres avoir tout ce personnel 24 heures sur 24. Ces *boys* – comme on les appelait naturellement – logeaient tous à la maison, ou plus exactement dans une annexe de la maison.

Pour certains d'entre eux – pas pour ma Mama qui vivait à demeure et qui ne rentrait que très rarement chez elle , cela voulait dire qu'ils quittaient le temps d'un week-end pour rentrer dans leur famille, déposer leur salaire de la semaine dans la petite boîte du ménage, voir leurs enfants grandir quelques heures, redécouvrir leur femme le temps d'une nuit, se poser une petite journée dans leur quartier avant de revenir chez nous le dimanche après-midi pour redémarrer une autre semaine au service de la famille Beauduin.

Ainsi, chaque samedi midi, mon père attendait nos *boys* sur le pas de la terrasse pour leur donner leur semaine et leur rappeler de bien revenir le lendemain.

Ce petit manège, que ne l'ai-je vu, revu : papa, en chemise à manches courtes, distribuant les enveloppes et donnant une paternaliste tape dans le dos de ces hommes qui s'en allaient qui à pied, qui à vélo pour une pause de quelques heures loin des ordres, loin de la peur de mal faire, loin des menaces, loin du pouvoir blanc.

Parfois, mon père ne pouvait s'empêcher de revenir sur un manquement dans la semaine écoulée pour justifier une correction de salaire.

Était-il si dur ? Pas plus que le monde qui l'entourait, hélas.

Il était Blanc, plus riche. Donc chef.

Il avait le pouvoir naturellement. Il commandait. Il jugeait. Il décidait.

Écouter ? Vouloir comprendre ? Pourquoi ? La compassion ? Pour quoi faire ?

Papa avait juste raison : son monde de 1956 ressemblait encore tellement à celui du XIXe siècle où le patron de l'usine traitait ses ouvriers avec hauteur, sinon mépris. Loin de toute écoute, de toute considération, parce qu'il était le patron, point !

Les Blancs des colonies n'avaient rien à prouver pour commander : mon père n'était pas différent des autres, il était plutôt enjoué sinon comique avec nous, ses enfants, et moi je baignais dans cette confortable idée que cette posture de « chef » avec les *boys*, ma foi, était naturelle.

Et puisque j'étais son fils, j'étais sans doute un chef en devenir.

À l'instar de ces monarques de droit divin, nous, les enfants de colons, grandissions avec le pouvoir comme cadeau du sang, cadeau de la peau.

Et puis il y eut ce samedi, je devais avoir quatre ou cinq ans et je ne sais pourquoi, j'étais seul ce jour-là sur la terrasse avec mon père au moment des traditionnelles remises d'enveloppes salariales. Ma mère devait courir la ville avec mes jumeaux de frère et sœur.

À quelques occasions précédemment, mon père avait demandé aux *boys* – qui étaient sur leur départ – de vider de manière impromptue leurs poches ou leur sac sur la table. Je n'avais jamais vraiment compris l'idée que mon père avait alors en tête et je regardais souvent ce manège avec le sourire : de fait, souvent, les quelques objets découverts à ces occasions étaient pour moi plutôt incongrus, et je n'y voyais là que curiosité capricieuse et abusive de la part du paternel.

Ce midi-là, le déballage surprise exigé tourna au drame : d'une main tremblante, le jardinier sortit de sa poche de pantalon quelques mouchoirs en tissu de mon père brodés des initiales L. B.

Froidement, mon père prit notre jardinier par le bras et, en le secouant, lui intima l'ordre de le suivre au commissariat de police. Les mots valsaient, tous plus durs et avilissants les uns que les autres, j'étais effrayé devant autant de violence, de colère. En même temps, que faisaient ces foutus mouchoirs marqués de la sacrée broderie L. B. dans la poche du *boy* ?

À mes yeux, papa devait avoir raison : il y avait vol. Mais il ne s'arrêtait pas là, il s'emportait en insinuant d'autres hypothétiques larcins, d'autres traîtrises.

Et j'assistais là à la destruction en règle d'un homme pour une bêtise sans doute.

Une faute fatale pour mon père certainement.

Ne pouvant rester seul pendant que mon père conduisait « son coupable » au poste de police, je montai dans l'auto, écrasé sur la banquette arrière par les vociférations d'un père bien résolu à faire payer chèrement ces quelques mouchoirs dérobés à un patron blanc. Au commissariat, nous avons attendu un bon petit moment l'arrivée d'un policier qui viendrait prendre la déposition.

Je voyais notre « voleur » pleurer, assis misérablement sur ce banc dans ce corridor miteux, je le fixais, occupé qu'il était à se tordre nerveusement les mains, implorer mon père de le pardonner, promettre des semaines de travail gratuit.

Et mon père, debout devant lui, sûr de son bon droit, reprenait tout doucement son calme. Ce calme des hommes qui ont le pouvoir de juger, condamner.

J'étais là devant ces deux hommes, spectateur innocent, bien peu troublé, presque détaché devant cette confrontation de douleur extrême d'un côté, de cette assurance posée de l'autre.

Deux hommes : l'un qui s'effondrait, anticipait sans doute une peine de prison, sinon pire : la honte devant les siens ; l'autre qui voulait en finir, qui avait assez perdu de son précieux temps, qui avait récupéré ses mouchoirs.

Je vivais là une première histoire déterminante : à travers la saga des mouchoirs, je découvrais que le pouvoir est glacial, il ne s'encombre pas d'émotions, il se construit sur le droit d'avoir la force de son côté.

JE découvrais que le pouvoir est glacial, il ne s'encombre pas d'émotions, il se construit sur le droit d'avoir la force de son côté.

Cet homme, notre jardinier qui avait travaillé tant d'années pour nous, était là, abattu sur ce banc. Lui qui avait arrosé nos fleurs, chassé quelques dangereux serpents, il n'était soudain plus qu'un coupable, un homme rejeté sans appel. Lui qui avait toujours tout fait pour que nous, les petits enfants de chefs blancs, puissions jouer en toute quiétude dans le jardin, cet homme voyait sa vie s'écrouler pour quelques mouchoirs dérobés.

En ces temps-là, le pouvoir ne se conjuguait pas avec le pardon ou au mieux la compréhension. Mais du haut de ma longue expérience de fils de chef, je n'y voyais rien à redire : j'y voyais juste l'exemple à suivre.

Le chagrin de notre ex-*boy* est ainsi resté imprimé à jamais dans ma mémoire au point où aujourd'hui, plus de 50 ans plus tard, je revois ce samedi brutal avec précision et ne peux m'empêcher d'écrire ces lignes avec une tristesse profonde, une douleur sincère, une compassion hélas bien inutile. Papa agissait comme la société de l'époque l'y autorisait, comme les patrons des colonies se donnaient le droit d'agir : il n'avait pas connu d'autres modèles que celui qu'il appliquait avec confiance, avec sérénité, cette sérénité que confère la certitude d'être du côté des plus forts.

Cette histoire s'était cachée dans un vieux tiroir de ma mémoire jusqu'au jour où, il y a quelques années, j'ai commencé à remettre en cause mon comportement de patron.

Un insidieux malaise s'est alors lentement installé : je ressentais une inquiétante contradiction émerger, cette contradiction entre mon rôle de patron et ma vie privée devenait dérangeante, déséquilibrante... douloureuse.

Ce n'est pas au travail que cette remise en cause a vraiment vu le jour, mais plutôt dans mon quotidien : le pardon, la compassion ne s'apprennent pas en entreprise. Non, cette lente prise de conscience fut ainsi intérieure : une découverte douce, mais insistante de la nécessité de mettre enfin en phase ma vie personnelle et ma vie professionnelle. L'homme que j'étais devenu à travers ma fonction de patron m'était désormais insupportable. Je ne m'en étais jamais vraiment rendu compte, car toutes ces années où j'avais construit ma carrière, je l'avais fait comme à l'extérieur de mes valeurs profondes – la tolérance, la générosité, l'ouverture bienveillante –, comme si être patron d'un côté autorisait toutes les dérives du pouvoir et de l'arrogance, comme si les valeurs nobles auxquelles j'étais attaché dans ma vie personnelle pouvaient s'épanouir loin du travail, bien protégées par le filet de la vie privée.

Il devenait évident que si je voulais changer ce patron persiffleur et agressif, je devais me reconnecter avec l'homme profond que j'étais, l'homme que je désirais assumer.

SI je voulais changer ce patron persiffleur et agressif, je devais me reconnecter avec l'homme profond que j'étais, l'homme que je désirais assumer.

La scène du commissariat de Léopoldville m'est revenue ainsi avec une telle clarté, mais en m'imposant une tout autre lecture : l'engueulade était devenue une scène pleine de malaise, de tristesse, une histoire qui me faisait mal, un souvenir que j'allais devoir revisiter pour en faire un premier pas vers un nouvel homme, un nouveau patron.

CHAPITRE 2

UN ROUQUIN AU PENSIONNAT : JE PUE DONC JE SUIS

En 1964, j'échouais à ma première année du secondaire.

Verdict parental : « Une bonne année en pension te fera le plus grand bien : études, études, études, voilà la recette pour t'apprendre à bien travailler. »

J'y passerai... six ans, histoire de bien comprendre.

Le Pensionnat de Nivelles en Belgique dans les années 60, ce n'était pas le bagne, ce n'était pas non plus un camp de vacances : c'était juste une bonne école publique en province qui m'éloignait assez du cocon familial pour le pire et me rapprochait des livres pour le meilleur.

Sans vraiment m'en rendre compte à l'époque, une succession de choix particuliers, de petits aiguillages, et surtout ma couleur de cheveux allaient influer de manière assez radicale sur la personnalité du *boss* que je deviendrai plus tard.

À l'époque, on enseignait encore le latin et le grec ancien. J'avais choisi cette voie, séduit par ce monde antique qui m'apparaissait si grandiose de par ses monuments qui avaient traversé les siècles avec autant de majesté, mais aussi par le prestige de ses écrivains, philosophes qui définissent encore aujourd'hui notre monde avec tant de force et d'éternité.

Je voulais ingurgiter cette antiquité, convaincu qu'elle me nourrirait pour la vie. Je ne pouvais imaginer que faire ce choix en ces années où les Beatles déferlaient dans nos transistors allait renforcer mon isolement dans cette pension toute neuve pour moi. Notre classe de cinq élèves faisait ghetto dans cet océan de gamins tournés vers les sciences modernes, les mathématiques et autres matières plus contemporaines : de fait, l'école supprimerait très vite cette option et nous deviendrions des naufragés d'un autre temps. Je vivais là, sans trop y penser, une première mise à l'écart. De cette mise à l'écart, j'allais construire tous les jours un argumentaire qui légitimerait une direction inspirée par un quotidien toujours plus anachronique, marginal.

Si le patron de demain apprenait une chose en ces temps bousculés, c'était cette bataille pour avoir le droit de vivre un chemin qui n'était pas celui de la majorité, un chemin original, certes, mais un chemin qui devait supporter le mépris souvent, la raillerie toujours. Et derrière cet affrontement mesquin, j'apprenais ainsi à argumenter, formuler, débattre, mais aussi, sans vraiment m'en rendre compte, à bâtir par petites touches inconscientes mon propre mépris pour ceux qui ne comprenaient pas ma trajectoire. Que ceux qui n'achètent pas la haute antiquité aillent se faire f...

J'en étais là, seul dans ce pensionnat, à m'inventer un parcours sans doute, à creuser des tranchées de combattant certainement. Vivre un choix, c'était vite devenu une guerre où chaque jour je devais défendre, attaquer, user de stratégies pour avoir juste raison.

VIVRE un choix, c'était vite devenu une guerre où chaque jour je devais défendre, attaquer, user de stratégies pour avoir juste raison.

Avoir raison, la belle affaire ! Je ne pouvais imaginer que j'alimentais là un travers humain bien sombre – héritage de notre monde patriarcal : celui du poing sur la table, celui du « j'ai raison parce que je suis le *boss* ».

Mais un autre poison allait avoir une incidence bien plus importante sur « le petit patron » qui sommeillait en moi en ces *golden sixties*. En effet, je débarquais aussi sans trop le savoir dans un monde comme « petit rouquin » au milieu de centaines de noirauds et autres blondinets. Et si cette couleur de cheveux faisait la fierté de ma mère, elle n'avait jamais vraiment eu une quelconque importance pour moi. Je découvrais que avec l'accent wallon de Charleroi, de Mons ou d'ailleurs allaient émerger doucement mais de manière insidieuse de drôles de commentaires, des allusions bizarres. Au début éparses et incomprises, ces réflexions allaient progressivement blesser de plus en plus l'adolescent naissant que j'étais.

« Hé Sale Roucha Crolé, tu pues[2] ! » allait devenir une gifle régulière que je n'aurais bientôt plus le choix d'accepter, d'encaisser.

À chaque pluie – et en Belgique, il pleut souvent –, à chaque douche après le foot du mercredi après-midi, les interpellations autour de ma capillarité mouillée et soi-disant malodorante déclenchaient les sourires moqueurs, les ricanements répétés et les... coups de draps de bain bien trempés. Oh, ce n'était pas du lynchage, juste une dérive innocente et abrutie d'adolescents en mal de bouc émissaire qui voyaient là une belle occasion de rire sur le dos d'un gamin imberbe taché de rousseur et... mouillé.

Ainsi, chaque semaine et surtout chaque mercredi, le pensionnat allait m'apprendre à résister sans rendre le moindre coup, à accepter ce dos rougi de traces de serviettes de bain sans me plaindre auprès de surveillants qui assistaient à ce traitement avec l'œil de l'indifférence.

2 Expression wallonne qui veut dire : « Sale rouquin bouclé, tu pues ! »

Derrière ces brimades grandissait un jeune homme toujours plus dur, apprenant à ne compter que sur lui, loin de tout espoir de justice et définitivement ancré dans cette certitude que la vie est un combat qu'on mène seul et que pour remporter la victoire, il ne devait faire confiance à personne, surtout pas à ceux qui l'entourent.

De plus, du haut de mes 12, 13 ans, je ne voyais pas vraiment d'autre sortie de cette histoire – au-delà de me faire teindre ces satanés cheveux roux dès que j'en aurais les sous – que de me venger par... les mots.

Très rapidement, les agressions de mes comparses nourrirent mon apprentissage de la répartie. Les mots, les formules, les phrases sanglantes fusaient toujours plus acérées : je découvrais mes futures armes de *boss*, cinglantes et destructrices. À défaut d'apprendre le coup de poing, je fourbissais une autre façon d'ériger mon autorité. La beauté de la chose était que mes brillantes notes à l'école venaient conforter mon talent oratoire naissant mon amour de l'élocution affinée et précise. Le premier de classe se voyait récompensé : le système me donnait raison à chaque bulletin.

TRÈS rapidement, les agressions de mes comparses nourrirent mon apprentissage de la répartie. Les mots, les formules, les phrases sanglantes fusaient toujours plus acérées: je découvrais mes futures armes de *boss*, cinglantes et destructrices.

Même si les poings de mes camarades répondaient souvent à mes flèches verbales, je ne pouvais imaginer que lentement mais assidûment, j'aiguisais là un métier, un rôle où la parole pourrait devenir demain un atout puissant, gagnant, mais aussi démotivant, ridiculisant, destructeur. À l'opposé que ce qu'un Eschyle, un Ovide ou un Rousseau m'apprenaient sur les bancs d'école.

Et quand je voyais dans les yeux de mes « adversaires » les larmes poindre sous l'effet de mes tirades assassines, je découvrais une émotion bien troublante : le plaisir de la douleur chez l'autre, celui de la vengeance, celui du coup pour coup, celui de la loi de la jungle où les plus forts sont ceux qui ont le dernier mot.

Et même si cette émotion n'était là que l'indirecte conséquence d'une ixième agression de ma petite personne, cela me confortait qu'en ce bas monde, « c'est ainsi que les hommes vivent ».

Pour toutes valeurs, le pensionnat et ses règles d'un autre siècle me rentraient dans le crâne que les plus forts pouvaient bousculer les plus faibles, se servir plus à table et cracher leurs choix à coups de gueulantes menaçantes.

Et moi qui avais commencé ce secondaire gêné de redoubler, gêné d'être rouquin, gêné d'être le plus petit, je terminais ces six années en lion.

« Grande gueule » j'étais devenu : un tueur qui ne s'en laisserait pas imposer et que la société environnante – qui se réduisait encore à mon école en ce début des années 70 – n'avait fait que légitimer.

Me revient cette scène de *Mon oncle d'Amérique* d'Alain Resnais où Depardieu se retrouve face à un nouveau collègue en sachant très bien que l'idée de son patron de les opposer l'un et l'autre est de voir celui qui sera le plus résistant, le plus fort dans la confrontation. Tel un rat du professeur Henri Laborit, le plus fragile se réfugiera dans le coin de la cage… dans la dépression, aux confins d'un suicide programmé.

Cette école de la performance est à l'origine bien sûr de carrières fascinantes et fait encore les choux gras des éditeurs de biographies orgueilleuses, mais elle est aussi le terreau bien plus dramatique de destins blessés, de vies détournées, salopées.

Il est inquiétant qu'aujourd'hui encore les carrières de certains « patrons sans pitié » soient portées au pinacle. Steve Jobs à sa mort nous valut une déclaration d'amour hallucinante : la planète célébrait à travers les iPod et autre tablette à la pomme le génie de l'homme qui nous avait offert le XXIe siècle sur un plateau d'argent. Sa biographie suivait très vite et même si on y découvrait la dureté, la méchanceté du personnage, on l'oubliait bien vite au nom de ses inventions numériques. Comme si broyer certains opposants et autres collaborateurs ne pouvait peser bien lourd par rapport à son talent de visionnaire, de patron planétaire. La question posée est simple pourtant : les iTrucs et iMachins n'auraient-ils pas pu voir le jour si Steve Jobs avait choisi un chemin plus ouvert, plus généreux à l'égard de son environnement ? Avoir conscience d'avoir raison nous oblige-t-il à démolir l'opposant ? Appréhender avant les autres la marche à suivre nous permet-il de négliger notre écoute ? Avoir la conviction d'une solution nous empêche-t-il d'inclure nos collaborateurs ?

IL est inquiétant qu'aujourd'hui encore les carrières de certains « patrons sans pitié » soient portées au pinacle.

Plus largement, je n'imaginais pas à quel point ces « batailles » qui jalonnaient le chemin de l'adulte naissant que j'étais pouvaient aussi me pervertir, m'abîmer.

La question s'est depuis posée en termes beaucoup plus clairs lors de ma rencontre en 2008 avec Albert Jacquard. En effet, quand celui-ci, au détour d'une conversation, aborda le thème de la compétition comme moteur de notre éducation avec son système de notes pour hiérarchiser les élèves et son obsession de notre enseignement pour la mesure de la performance, je me revis en pension fier de mes résultats, fier de ma supériorité. Albert Jacquard ne racontait rien d'autre que « mon » pensionnat où, pour aller chercher une quelconque reconnaissance, un quelconque respect, j'avais ignoré ce qui nous grandit en cette traversée bien essentielle de notre vie : le respect de l'autre, l'écoute de l'autre, l'amour de l'autre. Avec l'appui trop innocent de professeurs par ailleurs très inspirants, je m'étais construit un personnage qui ne pouvait vaincre qu'en abaissant les autres : une bonne grande gueule de vrai patron.

> **J'AVAIS** ignoré ce qui nous grandit en cette traversée bien essentielle de notre vie: le respect de l'autre, l'écoute de l'autre, l'amour de l'autre.

Être un *boss*, cela voulait donc dire quelque part écraser les autres ?

Dramatique voie que celle-là, mais elle était et est encore de nos jours trop souvent l'évidente voie choisie, valorisée dans le monde du travail pour permettre aux ambitieux de percer, de grimper. Percer, grimper, autant de mots qui camouflent d'autres tournures comme supplanter un concurrent, passer au-dessus de la tête d'un collègue. Comme si progrès devait rimer avec dureté, pouvoir… mépris ?

Il fut tout un temps où ces attitudes irrespectueuses étaient, sinon acceptées, tolérées : cela faisait partie du triste décor de la vie de l'entreprise.

Ainsi, la notion de harcèlement psychologique est plus récente et si elle est employée de manière plus claire et démontrée pour ce qui touche le comportement de certains hommes vis-à-vis des femmes dans le milieu du travail, elle a mis bien du temps pour être reconnue dans les cas d'abus des petits chefs de tout poil.

On sous-estime encore beaucoup cet autre harcèlement exercé par les patrons auprès de leurs collègues hommes. Nourri de petites phrases assassines, d'évaluations floues et menaçantes, de silences étirés sciemment en réaction aux questions inquiètes, ce harcèlement est l'autre visage de ce pouvoir du patron qui, dans la gestion de son « plan », utilise son statut pour occulter, isoler... protéger ses choix, ses prérogatives. Comme si être en haut de la pyramide justifiait tout. J'avais vu mon père user de sa position pour faire arrêter le jardinier, j'avais vu les surveillants en pension jouer de ces manipulations odieuses, je ne pouvais me douter que j'allais rencontrer sur ma route quelques patrons de la même trempe qui ajouteraient une couche de légitimité à cette observation de jeunesse.

D'évidence, cette école des podiums et des méritas qui fut la mienne est une école qui distillait la construction des ego, la quête narcissique de gravir toutes les marches du pouvoir alors que toute l'histoire de l'humanité nous a enseigné que l'homme n'a jamais été aussi fort que dans le collectif, et que cette dernière approche n'a jamais empêché le rêve, la vision, la découverte. Que du contraire ! Mais à l'heure où je quittais le pensionnat après ces six années bien lourdes, j'étais loin d'appréhender les richesses du collectif : j'étais un bon élève, mais un élève humainement ignorant.

MAIS à l'heure où je quittais le pensionnat après ces six années bien lourdes, j'étais loin d'appréhender les richesses du collectif : j'étais un bon élève, mais un élève humainement ignorant.

En classe, j'avais appris le retour d'Ulysse et ses doutes, les ombres de la caverne de Platon qui nous apprennent la méfiance des apparences, les effets de manche des discours interminables de Cicéron, mais j'avais oublié de m'arrêter devant l'humilité souriante de Diogène, la sagesse bienveillante et spirituelle de l'empereur Hadrien au crépuscule de sa vie.

CHAPITRE 3

LE **RIDICULE** **POUVOIR** DE... NE RIEN VOIR

C'était au début des années 70.

Les années 60 venaient de voir notre génération tout bousculer, tout questionner, tout renverser : « Il y en avait marre de cette morale dictée par nos parents. »

On avait la prétention d'être les pionniers d'un autre monde. Woodstock, révolution sexuelle, communautés… la génération des *boomers* s'inventait une nouvelle vie.

Et puis… On a enterré Jimmy Hendrix, Janis Joplin et Jim Morrison ; les Beatles se sont séparés ; Peter Fonda et Dennis Hopper gisaient à côté de leur moto, morts, abattus par des cowboys sur le générique de fin d'*Easy Rider*.

Il y avait comme un goût de nausée, nous avions mangé ces années 60 comme des gloutons, avides et sûrs de nous. Sûrs d'être cette génération qui, en claquant la porte à nos parents, à leur morale, à leur spiritualité poussiéreuse et aux autres cultes du passé se croyait tout permis.

Et si les communautés fleuries ou non étrennaient leurs rêves épars à travers ces nouveaux champs de vie, une autre fleur poussait à l'ombre de cette révolution : pour imposer ce nouveau monde, il fallait s'imposer, devenir les maîtres du terrain, devenir les *boss* de cet avenir rêvé.

J'avais choisi de faire mon journalisme à l'Université libre de Bruxelles.

Assurément, le verbe m'obsédait, il m'avait séduit en grec et en latin, et je me lançais dans ce parcours universitaire en voulant le nourrir de tous ces nouveaux cours pour devenir homme de parole, homme de radio. Ce verbe qui m'avait permis de me blinder contre les humiliations et les passages à tabac, ce verbe, je sentais qu'il me donnerait – à condition de bien le cultiver – toujours plus d'autorité, sinon un métier.

L'université bruxelloise était à l'époque une ruche post-soixante-huitarde où les révoltes fusaient pour toutes les causes petites et grandes, les étudiants se réunissaient assez spontanément pour dénoncer, engager mais surtout débattre. Le Vietnam, Allende, le nucléaire... tout était matière à mobilisation mais surtout à débats.

Tout ce que le pensionnat m'avait appris de la réussite se trouvait ici confirmé.

L'accès limité à certaines facultés, le discours cynique de nombreux professeurs nous annonçant – non sans fierté – que l'année prochaine on ne serait plus qu'un tiers ou un quart de la cohorte : tout cela nous laissait comprendre qu'on n'était pas là pour rigoler, qu'on était là pour réussir pour soi... contre les autres.

Je découvrais les cours *ex cathedra,* ces cours dans des amphithéâtres immenses où le professeur armé de son micro nous bombardait un contenu depuis si longtemps digéré qu'il nous apparaissait indigeste. Mais le pire, au-delà de cette logorrhée anesthésiante, n'était pas notre difficulté à suivre ce déversement savant, c'était cette rupture absolue de relation entre le professeur et nous, le cheptel.

Le secondaire m'avait appris la notion du pouvoir qui s'accompagnait de punitions, de sanctions, sinon d'abus : un pouvoir somme toute assez traditionnel. Je découvrais sur les bancs de la faculté un autre pouvoir, celui des autorités académiques qui savent devant ceux qui ne savent pas, devant ceux qui ignorent. Et nous – les ignorants – n'avions plus qu'une voie de sortie : apprendre pour quitter cette masse anonyme, apprendre en espérant rejoindre un jour ces pontes de la connaissance. Nous apprenions sans trop penser que ce pouvoir se construisait sur le mépris et que la distance imposée par le corps professoral pouvait aussi construire des forteresses d'autorité.

JE découvrais sur les bancs de la faculté un autre pouvoir, celui des autorités académiques qui savent devant ceux qui ne savent pas, devant ceux qui ignorent.

Quelques exceptions malgré tout avaient éveillé ma curiosité, et j'aurais dû m'y attarder. Ainsi, un professeur de français par son regard bienveillant, son assistant par sa curiosité chaleureuse, un professeur d'anglais par son humour bien trempé représentaient des éclaircies souriantes chaque fois que je les croisais. Les rencontrer au détour d'un couloir me donnait toujours quelques minutes de douceur et pourtant je ne comprenais pas vraiment le pourquoi de ces bouffées bienfaisantes. En fait, ces parenthèses souriantes ont aujourd'hui trouvé leur sens. Dans une université où on n'existait que par le score aux examens, ces sourires aimables, ces échanges ouverts et loin de tout rapport d'autorité faisaient tache au point d'être des accidents de la vie. Pas des exemples.

Je grandissais donc dans un monde où tous mes efforts se concentraient sur la réussite, et cette réussite passait obligatoirement par des reconnaissances, des notes supérieures, des mentions... pas par ces professeurs aux comportements singuliers.

JE grandissais donc dans un monde où tous mes efforts se concentraient sur la réussite, et cette réussite passait obligatoirement par des reconnaissances, des notes supérieures, des mentions.

Aussi, rien ne pouvait m'échapper : délégué de classe d'abord, je devenais très vite celui de toute la section de journalisme auprès du conseil des professeurs, je m'embarquais avec quelques amis et amies pour fonder le Cercle de journalisme, un cercle qui se voulait innovateur et qui allait créer dans la foulée un Festival du film d'animation, un Festival du film rock. On faisait venir dans l'enceinte de l'université Patti Smith, Soft Machine, Maxime Le Forestier, etc.

Bref, je courais les projets, m'impliquais à qui mieux mieux sans vraiment avoir conscience que mon ego trouvait là le plus riche des terreaux, ce terreau qui nourrit le sentiment de domination des futurs chefs d'entreprise. Et comme chacune de ces idées donnait l'occasion de prendre la parole, donc prendre le pouvoir, je découvrais le plaisir des projecteurs, du microphone tendu, sinon celui des applaudissements.

Je plongeais avec un sincère bonheur dans toutes ces activités péri-universitaires sans me douter que cette boulimie d'initiatives me construisait un personnage, un personnage qui prend de la place, un personnage qui réussit. Prendre toute la place, c'était donc concentrer le regard des autres sur soi, c'était induire que le pouvoir me revenait, c'était devenir un chef.

PRENDRE toute la place, c'était donc concentrer le regard des autres sur soi, c'était induire que le pouvoir me revenait, c'était devenir un chef.

Je n'avais aucune conscience de cette dérive, mais j'y avais pris goût et avec ce goût émergeait l'incapacité progressive à m'en passer.

Moi qui avais tant souffert d'être à l'adolescence « le sale rouquin qui pue », je devenais un grand gars, fort en gueule, impliqué jusqu'au cou dans plein de projets, à qui les professeurs faisaient confiance, qui rencontrait des vedettes de la scène, qui enfin intéressait les filles.

Cette machine de la reconnaissance – comme une sournoise addiction – allait m'inoculer un poison bien puissant : celui de l'ego. Ce poison narcissique ne pouvait que me rendre complètement dévoué à une quête infernale, celle des lauriers. Le chef que je devenais ne pouvait se rendre compte que cette personne était un malade. Le mot peut paraître fort mais, avec le recul, je n'en trouve pas d'autre : j'avais été infecté de cette addiction triste et destructrice qu'est le pouvoir pour le pouvoir.

Je prenais goût lentement mais sûrement aux projecteurs flatteurs, à la reconnaissance flagorneuse : mes choix, mes trajectoires se traçaient de plus en plus sous leur lumière. Le drame de ce type de processus est qu'il se nourrit parfaitement de l'intérieur : tout mon parcours universitaire contribuait à m'encourager à toujours plus courir les estrades.

Et si quelque trébuchement devait survenir, je le regardais avec mépris comme un accident, un fait extérieur sur lequel je n'avais pas eu le contrôle, dont je ne pouvais être responsable. Et si j'avais pu l'anticiper, le maîtriser, rien ne se serait passé bien sûr. Le propre de ce chef que je devenais était d'apprendre le déni : le déni de l'écueil, le déni de l'échec.

LE propre de ce chef que je devenais était d'apprendre le déni: le déni de l'écueil, le déni de l'échec.

Je ne pouvais appréhender qu'avec ce déni s'installait pour de bon un aveuglement de 20 longues années. Toutes ces années où chaque fois que la vie allait m'envoyer un signal clair de fausse route, de mauvaise évaluation, de choix indélicat, j'opposerais mon assurance obstinée. Vingt années où chaque fois que je tombais, je trouvais toutes les excuses pour ne pas me regarder dans la glace, pour ne pas remettre en question cette carrière qui m'isolait toujours plus en moi-même, loin de toute réalité, loin des autres.

Tout au long de ces années s'affirmait un *boss* qui n'avait plus le choix que de nourrir cette bête qui le dévorait de l'intérieur. Cette bête qu'on appelle l'*ego* qui ne peut accepter – et encore moins comprendre – que la reconnaissance pourrait naître d'un autre destin, d'une autre mécanique de vie.

À la sortie de cinq années d'université, je demandais M. en mariage et découvrais le monde du travail derrière les vitres blindées d'une agence bancaire. Je ne m'en faisais pas : je savais que ce premier boulot *encravaté* n'était qu'un petit détour avant une carrière qui viendrait, brillante, riche et pleine de promesses. J'étais marié à une femme elle aussi brillante, ambitieuse tout comme moi, et je me voyais tellement beau dans mon miroir déformant que je n'ai pas vu venir la débâcle.

Quatorze mois après l'échange des alliances, M. s'en allait… L'Insulte suprême !

Je ne voyais dans cette déroute que mon image déchirée, que ma petite personne mal comprise, victime.

Ce n'est pas faute d'avoir été alerté : de nombreuses conversations souvent amorcées par M. auraient dû m'inquiéter. Mon obsession de réussite professionnelle me faisait oublier notre couple, ma superficialité, l'indispensable écoute qu'il exigeait.

Alors que les appels du pied que ma chère M. m'avait adressés au fil des mois auraient dû provoquer en moi une première remise en cause de mon échafaudage égocentrique, j'ai choisi un autre chemin. Celui du détour. Celui du déni.

En effet, devant la douleur de cette rupture, je n'ai à aucun moment choisi de comprendre, de fouiller la raison de cet échec. À 26 ans, je considérais cette embardée de la vie comme malheureuse, certes, mais je lui trouvais toutes les explications du monde sauf la bonne : j'étais devenu aveugle.

Aveuglé j'étais devant l'obstacle, plus préoccupé de défendre mon chemin, de légitimer tous les choix passés. Incapable j'étais de me dire que je m'étais planté au bout de 14 petits mois de vie conjugale.

Au quotidien, j'étais le gars qui brille en société, qui a toujours le mot qui fait mouche et qui fait rire la galerie, autrement dit, le gars qui a toutes les raisons de ne pas douter de lui, puisque les autres lui renvoient une image de conquérant.

Et tant qu'à faire, pourquoi M. n'aurait-elle pas eu tort ?

J'acquérais bien à mon insu une autre dimension de mon leadership naissant : la faculté de construire des alibis, des contreforts, des barrières ou, pire, des écrans de fumée pour nier ces réalités qui risqueraient de remettre en cause ma stature, ma statue.

Souvent, on s'étonne de voir de grands chefs d'entreprise tomber de leur socle alors qu'hier encore ils faisaient figure de modèles. Mais derrière cet effondrement se cache bien souvent hélas un déficit flagrant de voir le monde qui les entoure, de s'intéresser au quotidien qui les environne, tout convaincus qu'ils sont que ce monde tourne autour d'eux, à la vitesse qu'ils ont choisie, au rythme qu'ils lui ont insufflé.

Hier peut-être, en d'autres siècles, le pouvoir des chefs pouvait vivre, survivre dans un tel isolement, mais aujourd'hui, ne pas être en prise avec son environnement, c'est courir à sa perte. Ne pas saisir les frémissements d'une incompréhension, les hésitations ou les doutes de ceux qui vivent notre quotidien au travail comme à la maison, c'est prendre le risque d'un choc frontal. Fatal.

Je regrette tellement aujourd'hui de n'avoir pas pris ces mois de douleurs pour investir la dérive que ma carrière tout empreinte d'ambition avait prise. Pour mettre à plat ce personnage que le pouvoir naissant m'imposait. Au lieu de considérer cette première grave tempête personnelle comme une occasion de repenser mes choix, j'avais choisi de m'inventer une histoire qui, au final, ne faisait que les conforter.

Avec comme conséquence que les futures péripéties de ma vie se chargeraient bien de me rattraper et de m'assommer plus sévèrement. Le pouvoir induit souvent cette facilité invisible de négocier la réalité, de l'organiser pour qu'elle entre dans notre propre cohérence, quitte à ce que cette cohérence soit à terme… en totale incohérence avec le monde qui nous entoure. Là se fait la fracture entre le chef et son entourage.

LE pouvoir induit souvent cette facilité invisible de négocier la réalité, de l'organiser pour qu'elle entre dans notre propre cohérence.

Je n'avais pas compris non plus que ma vie personnelle pouvait actionner des clignotants essentiels à ma carrière naissante. Autre stupidité que celle de croire qu'une vie professionnelle pouvait se vivre en parallèle à la vie personnelle et que si la première n'avait rien à voir avec la seconde, ce n'était là qu'accessoire.

Erreur flagrante ! Nous sommes UN et penser que notre nature profonde peut fonctionner sur deux lignes – professionnelle et personnelle – construites au départ de valeurs pas forcément identiques, c'est choisir une vie faite de grands écarts et de compromis douteux. Et quand viendra l'heure d'une difficile décision professionnelle, émergera alors l'insupportable contradiction : choisir en se basant sur ses valeurs personnelles ou en s'arcboutant sur ses principes professionnels.

Ce débat intime anime bien des chefs d'entreprise et, souvent, mes conversations avec des collègues m'ont révélé toute la délicatesse de ces situations. Combien de fois n'ai-je découvert la vraie douleur de tel *boss* ou de telle patronne de vivre ses décisions dans cette ambiguïté de valeurs. Souvent, notre for intérieur nous suggère de suivre notre intention de tolérance, d'écoute, de pardon, mais l'organisation qui est celle de notre entreprise nous impose des gestes durs, sans appel, exemplaires.

Aujourd'hui, un leader ne peut plus tolérer la moindre incohérence avec ses valeurs profondes : ce n'est pas juste une nécessité simpliste de cohérence, c'est un enjeu de santé mentale, même un devoir de sincérité par rapport à nous-mêmes, à nos proches, à nos collègues.

AUJOURD'HUI, un leader ne peut plus tolérer la moindre incohérence avec ses valeurs profondes [...] c'est un enjeu de santé mentale, même un devoir de sincérité par rapport à nous-mêmes, à nos proches, à nos collègues.

Me présenter comme une seule personne ancrée dans des valeurs profondes et partagées aussi bien dans ma vie personnelle que professionnelle m'a apporté dans les 10 dernières années de ma carrière un équilibre inestimable, mais surtout une toute nouvelle capacité à rencontrer l'autre. De fait, la personne que je suis devenue s'est enrichie de manière exceptionnelle : la plupart de mes amitiés sont récentes, contemporaines de cette mue personnelle.

Belle et riche récompense s'il en est que d'avoir choisi de vivre plus ouvert, plus transparent.

BELLE et riche récompense s'il en est que d'avoir choisi de vivre plus ouvert, plus transparent.

CHAPITRE 4

LA TRAVERSÉE D'UN DÉSERT : LA PREMIÈRE RÉVÉLATION

Les cheveux à l'époque étaient à la longueur et si les Beatles avaient opté en 1963 pour la frange bien propre, d'autres avaient depuis le poil bien plus sauvage...

Du haut de mes 20 ans, j'étais plus du côté d'Angela Davis, égérie du Black Power innocentée après une saga juridique dont seuls les États-Unis avaient le secret. Résultat : une tignasse afro mais rousse. Le gamin d'hier honteux de son blond vénitien affichait désormais sa rousseur sans aucune gêne. Le flamboyant était à l'extérieur ; à l'intérieur, je n'étais que cendres. L'échec d'une première union coïncidait avec une sortie d'université, certes riche de diplômes, mais aussi porteuse d'une objection de conscience[3], c'est-à-dire le rejet du service militaire obligatoire. En ces temps-là, refuser de porter les armes pour son pays dans le cadre d'un service militaire conduisait soit à la prison militaire, soit à une obligation d'un service civil au pays ou ailleurs. Pas un an. Deux au minimum.

3 L'objection de conscience est un acte personnel qui conduit à refuser de porter une arme. La loi belge autorisait les objecteurs de conscience à effectuer un service alternatif à l'armée, soit le service civil.

nc au Niger que j'ai atterri pour prendre une charge professorale en littérature africaine et dissertation. Eh oui, moi qui rêvais de devenir journaliste culturel, je débarquais dans une petite ville de l'Est nigérien, Zinder, en plein Sahel.

Zinder, 50 000 habitants – musulmans pour la grande majorité –, et sa poignée d'Occidentaux : voilà le petit monde qui voyait débarquer ce grand échalas belge, déprimé et rompant toutes ses attaches avec une vie qui venait de le blesser dangereusement.

Le désert nous entourait à l'infini avec ici et là des grappes de gros rochers brossés depuis des siècles par les vents de sable, sorte de sculptures toltèques de Henry Moore abandonnées pour l'éternité. Pour toute verdure, quelques arbres chétifs défendaient de leurs épines acérées leur rare végétation devant des chèvres toujours plus audacieuses.

J'arrivais comme contractuel nigérien, donc avec un salaire local, loin du confort que les coopérations occidentales offraient à leurs ressortissants. Je vivais cette situation avec une certaine fierté : je revenais sur ce continent qui m'avait vu naître à l'époque coloniale, mais pas comme un colon et encore moins un représentant de ce qu'on appelait alors le *néo-colonialisme*. Je voyais cette nouvelle étape comme un sas où je pourrais me ressourcer loin de tout passé, nu devant une communauté qui ne savait rien de moi, avec cette formidable chance de revenir sur les dérives qui m'avaient emmené si loin de moi, à ce premier échec. Je profiterais de ces prochaines années en plein Sahel pour identifier ce qui m'avait amené à me croire si bon, si fort, si irrésistiblement au-dessus des autres.

JE profiterais de ces prochaines années en plein Sahel pour identifier ce qui m'avait amené à me croire si bon, si fort, si irrésistiblement au-dessus des autres.

À Zinder, le monde blanc, c'était essentiellement une petite communauté de coopérants français, enseignants le plus souvent, une poignée d'agronomes européens, un archéologue américain et quelques commerçants implantés depuis si longtemps...

Ce monde était bien étranger à mes questionnements. Il serait certes une petite bouée de sauvetage bien opportune lors de certaines plongées dépressives, mais il ne pouvait pour autant m'envahir : j'étais pas mal isolé et je me devais de profiter de cette situation pour prendre le temps de prendre le temps. Pourquoi ces 10 dernières années de course au pouvoir, à la reconnaissance, aux spots, aux lauriers et autres podiums ? Pourquoi du haut de ma petite personne n'avais-je pas vu la fragilité de cet édifice ? Cet énergumène qui avait cru à la gloire de son ego était-il vraiment moi ?

Tout autour de moi vivait un monde si différent – ponctué quotidiennement des appels du muezzin –, un monde qui venait d'échapper une fois de plus à la mort après d'épouvantables sécheresses, un monde qui n'avait pas le temps de se regarder le nombril, un monde que je gagnerais à mieux regarder pour apprendre à ... regarder, écouter, respecter. Pas de téléphone ici, un courrier des plus aléatoires ; mes liens avec mon passé étaient rompus, je pouvais penser désormais à me reconstruire loin du regard de ceux qui m'avaient connu, loin de leurs jugements, loin de ces valeurs tant promues là-haut, en Europe.

Je voyais en cette traversée du désert une occasion exceptionnelle de démonter cette vie qui m'avait conduit là, dans cette petite ville loin de tout. Loin de tout, je découvrais à travers mes journées passées au milieu d'étudiants à peine plus âgés que moi des pans de sagesse qui ne m'avaient tout simplement jamais été présentés.

JE voyais en cette traversée du désert une occasion exceptionnelle de démonter cette vie qui m'avait conduit là, dans cette petite ville loin de tout.

Pour leur grande majorité, ces jeunes gars se destinaient à devenir instituteurs de brousse, ils me parlaient de leur devoir de rendre à leur pays la chance qu'ils avaient d'être pensionnaires aux frais de l'État. Pensionnaires un temps pour retourner plus tard vivre le reste de leur âge dans un village, le leur ou un autre : ils étaient fiers de participer à ce long effort d'alphabétisation, d'être ce petit caillou sur ce chemin bien long du développement, de l'émancipation. Nos conversations nombreuses et parfois bien déséquilibrantes m'apprenaient la sobre humilité, le geste modeste et pourtant gonflé de sens, et là où toute mon éducation m'était apparue comme un droit, je la découvrais ici comme un formidable devoir. Souvent, quelques-uns venaient s'affaler sur les bancs de mon salon brassé par un ventilateur vétuste et chancelant : ils me questionnaient sur cet Occident, sur ses richesses, sur ses opportunités. Je goûtais ces conversations comme de fantastiques séances d'analyse : mes étudiants déréglaient toujours plus mon personnage, remettaient en question sans le savoir l'idée que je m'étais faite de la réussite. Leur avenir se résumait pour la plupart à une simple petite histoire : ils étaient nés fils de paysans, d'éleveurs de chèvres, ils deviendraient fonctionnaires dans l'enseignement et, avec un peu de chance pour certains, directeurs d'école. Derrière ce petit chemin, il n'y avait pas dans leur esprit toute cette course à la gloire, au pouvoir, juste une belle chance d'améliorer un quotidien et sans doute une douce fierté de revenir devant leurs parents un jour en sachant enseigner le lire et l'écrire.

Par contraste, mes rencontres avec mes collègues blancs étaient vécues comme des plongées souvent rassurantes : je retrouvais ces mécanismes qui réglaient ma vie depuis toujours, ces systèmes de valeurs aussi, mais ici ils prenaient une tout autre couleur, si j'ose dire. Le sentiment de supériorité que les Occidentaux ressentaient vis-à-vis de la population locale n'avait pas besoin de pouvoir, de coercition : il allait de soi. L'argent, mais aussi tous les accessoires qui l'accompagnaient comme l'automobile, la liberté de prendre l'avion quand bon vous semble (et à Zinder, c'était toute une richesse...), l'accès aux épiceries d'importation de denrées rares, suffisait à l'Occidental pour imposer sa personne, ses valeurs, son ego.

On n'était plus au temps des colonies ni du scandaleux vol des mouchoirs, mais le pouvoir était là, silencieux, toujours implacable.

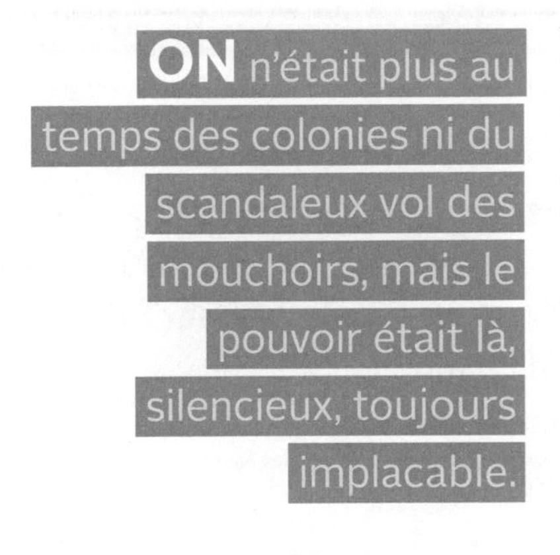

Pour être sincère, je vivais tout cela avec une certaine difficulté : d'une part, cette lente révélation sur les dérapages de ma jeune existence où j'identifiais les dangers de l'ambition aveugle, les déformations de mon jugement égocentrique et, d'autre part, cet environnement néo-colonialiste qui me renvoyait une image concentrée et très cohérente du pouvoir, du concept de leadership. Cette ambiguïté, je ne pouvais que l'accepter telle quelle. J'avais le sentiment – encore bien léger, il est vrai – que ce monde africain avait au moins le mérite de m'ouvrir à de nouveaux horizons, différents de ce que j'avais appris depuis toujours, et que peut-être je pourrais un jour briller autrement qu'en ayant le pouvoir d'imposer ma glorieuse personne. Mes étudiants avaient sans le savoir infusé en moi un regard sur le monde que j'ignorais jusqu'alors, un regard assurément plus sobre, plus paisible... plus authentique, plus humain, sinon plus ouvert ?

C'était diffus comme apprentissage, mais les longs après-midi brûlants du Sahel allaient me donner l'occasion d'explorer cette notion d'humain plus « ouvert », capable de le rester au-delà de mon métier de professeur. Depuis ma plus tendre enfance, le dessin avait toujours été une passion, mon mémoire de maîtrise avait abordé le virage « adulte » de la bande dessinée francophone. Je baignais dans l'univers de Tintin depuis ma naissance.

Comme je l'ai déjà précisé, je ne roulais pas sur l'or avec mon salaire de contractuel nigérien ; aussi me proposai-je de devenir, à heures perdues, peintre de fresques murales ou lettreur d'enseignes commerciales sur camions ou magasins.

Très vite, j'eus l'occasion de reproduire sur des murs de salon, de salle de danse, de bar des vignettes de bande dessinée extraites d'albums de Hugo Pratt ou Sampayo.

Sans parler des sous que cela me rapportait, le plus beau cadeau que m'offrit cette activité fut de découvrir que mon équilibre personnel gagnait à s'appuyer sur des dimensions plus larges, plus intimes que celle reconnue professionnellement. Depuis toujours, j'aimais dessiner, je me passionnais pour la bande dessinée et certains de ses personnages inspirants, comme Corto Maltese, et voilà que je pouvais exprimer ces intimes plaisirs sur des murs.

J'existais ailleurs et cet ailleurs m'apportait un immense bonheur, très personnel sans doute mais si essentiel.

Je reviendrai sur ce point de l'élargissement de nos fondations au-delà d'un métier. Ici à Zinder, j'en percevais le goût, j'en voyais la couleur. Je mettrai bien du temps à en saisir toute l'importance vitale.

Souvent, je montais sur ma moto de cross et partais quelques heures derrière les premières dunes, loin de la ville, pour aller écouter ce désert. Je n'y ai jamais rencontré un renard ou un aviateur, mais cet espace soi-disant vide me permettait de découvrir un nouveau territoire tellement plus vaste que le Sahara : ma conscience en friche. De fait, cette conscience que je n'avais pas trop impliquée dans mon parcours de grande gueule, je la voyais apparaître dans mes réflexions avec ses brutales remises en question. Depuis le pensionnat, elle ne m'avait pas vraiment encombré, non que je sois devenu un être sans scrupules, mais disons que je m'étais accommodé de bien des contradictions au nom de la réussite et du succès. Ainsi, à la sortie de l'université, choisir d'amorcer ma vie professionnelle dans une banque et en accepter les contraintes au nom du confort financier m'avait coûté cher : M. ne m'avait plus reconnu et m'avait quitté.

Mais là, assis sur le sable, je cernais tout doucement la richesse de cette conscience retrouvée, sa force de guide, sa fondamentale capacité à m'aider à décider avec générosité, ouverture… C'est drôle, mais pour la première fois, je saisissais la cruciale nécessité de tout remettre en question : mon premier quart de siècle n'avait-il été qu'une longue erreur, un insupportable gâchis, un détournement de vie absolu ?

Ce fut là indubitablement mon premier pas vers un autre moi-même. Le vrai ?

Et quand les longues plages de vacances arrivaient, ce désert m'invitait à de nouvelles échappées salutaires. Juillet 1979, un collègue m'invita à la traversée du Sahara. À l'époque, ce n'était pas une promenade, le « goudron » – ce ruban de route ainsi baptisé par les routiers africains – ne reliait pas encore l'Afrique subsaharienne et le Nord algérien. Il nous faudrait affronter les semaines de dunes, rouler à la boussole, ne pas perdre une borne, vivre à 50 degrés à l'ombre (sauf qu'il n'y avait pas d'ombre), manger des boîtes de sardines et faire confiance à une mécanique des plus sommaires, une Lada Niva.

Ces cinq semaines m'offrirent d'interminables heures de contemplation dans un océan de sable, et si le jour était tout à la conduite délicate et dangereuse, les soirées et les nuits à la belle étoile furent mes premières méditations.

Ce Sahara m'invitait à ralentir. Ralentir ? Oui, ralentir, faire que je prenais cet espace-temps, cette mer de dunes pour lit d'une réflexion plus spirituelle sur le sens de notre passage sur terre. Je n'étais pas philosophe, juste un homme que ce désert infini venait de frapper de sa paisible sagesse et de son essentielle humilité.

CE Sahara m'invitait à ralentir. Ralentir ? Oui, ralentir, faire que je prenais cet espace-temps, cette mer de dunes pour lit d'une réflexion plus spirituelle sur le sens de notre passage sur terre. Je n'étais pas philosophe, juste un homme que ce désert infini venait de frapper de sa paisible sagesse et de son essentielle humilité.

Ce Sahara m'invitait à appréhender notre infinie absence, notre infiniment petite présence, notre absolu besoin de donner à ce passage éphémère plus de sens, plus de chair, plus de pertinence.

Ce Sahara m'invitait à regarder ce miroir trop longtemps ignoré : ce miroir qui nous raconte le grand n'importe quoi de l'ambition, de la réussite et des flaflas de la performance aveugle.

La nuit, les yeux dans cette voûte étoilée, je vivais sans doute là aussi les premières douces illuminations de l'indispensable nécessité de mettre de la conscience sur mon chemin personnel mais aussi professionnel. Curieux comme la pression d'une carrière naissante, d'une vie d'homme à affirmer pouvait à ce point nier cette nécessité.

Triste comme cette faim d'une vie trépidante, d'un quotidien toujours plus rempli, chargé, pouvait bousculer toute tentative de profondeur, toute quête de conscience.

Couché sur le dos dans mon lit de sable, je me promettais de rentrer un jour en Europe, plus apaisé, mieux enraciné… plus moi-même.

COUCHÉ sur le dos dans mon lit de sable, je me promettais de rentrer un jour en Europe, plus apaisé, mieux enraciné... plus moi-même.

Ces années passées loin de tout, ces premières plages de méditation et d'introspection furent le terreau où je commençai à faire pousser – pas un nouveau personnage, on ne change jamais fondamentalement – une nouvelle dimension de ma vie : l'apprentissage de l'écoute. Venaient m'encourager ces heures de cours où moi le « Blanc à la crinière rouge » je tentais d'apprendre à mes étudiants à analyser leur propre littérature.

Qui étais-je, moi, pour leur dire ce que leurs écrivains avaient voulu raconter ? Je n'avais pas le pouvoir absolu d'un prof de maths ou de physique, je n'étais qu'un passeur de mots, de textes africains qui leur appartenaient bien plus qu'à moi. Ce n'est plus eux qui apprenaient à mon cours, mais moi qui étais sur leur banc : je vivais ces cours comme un dangereux sinon un délicat échange où chaque seconde pouvait mettre à mal ma légitimité. Le pouvoir indiscuté de l'enseignant ne m'appartenait pas vraiment au nom de la matière que je donnais. Le *boss* que j'étais censé être n'avait ici pas beaucoup de pertinence : mon autorité en fait, je ne la gagnerais qu'en descendant du socle où trônait mon bureau.

Mais serait-ce encore de l'autorité ou ne serait-ce pas plutôt de l'inspiration ?

Les relations que j'allais tout doucement nouer avec certains de ces étudiants m'apporteraient indirectement quelques réponses. J'appris ainsi au fil du temps que j'étais apprécié pour ma capacité à permettre le débat, la discussion, apprécié aussi parce que je ne jouais pas de ma « culture de Blanc » pour imposer un point de vue, apprécié enfin parce que je leur donnais le goût de la curiosité.

Bref, ils me respectaient pour autre chose que mon pouvoir de professeur.

Inspiration, le mot m'avait effleuré : ce mot si doux, ce mot comme un souffle inversé, j'y goûtais aléatoirement. Chaque fois qu'une leçon se terminait et que je sentais dans le regard de mes étudiants ce « merci » si différent, cadeau de l'inspiration, je ne flottais plus sur ce nuage de l'orgueil, mais sur celui de la rencontre, sincère, authentique.

CHAQUE fois qu'une leçon se terminait et que je sentais dans le regard de mes étudiants ce « merci » si différent, cadeau de l'inspiration, je ne flottais plus sur ce nuage de l'orgueil, mais sur celui de la rencontre, sincère, authentique.

C'était subtil, certes trop rare pour que j'intériorise cette nouvelle reconnaissance : c'est sans doute pour cela que je regrette quelque part n'avoir pas saisi à l'époque le formidable cadeau que cette émotion m'apportait.

Étais-je trop jeune pour en comprendre toute la valeur ? Sans doute.

Étais-je trop fragile pour en comprendre toute la force ? Certainement.

Pourtant aujourd'hui, je vis ces instants revisités comme une merveilleuse aventure, mais une aventure dont je n'ai pas saisi toute la solidité qu'elle aurait pu m'apporter.

Ma jeunesse en ces années nigériennes me donnait à vivre de phénoménales découvertes, et si je discernais à quelque détour ces enseignements si motivants, je ne les intégrais pas vraiment pour en faire les fondations d'un autre demain, meilleur, inspirant.

Mes brefs retours d'alors en Belgique – lors des vacances d'été – ne faisaient que souligner le fossé qui se creusait entre la grande gueule qui avait grandi à l'ombre de ses certitudes et le gars qui revenait du Sahel tout bouleversé par ces nouveaux territoires appréhendés, trop flous encore.

Je me disais parfois que cette *immense immensité* venait de me faire gagner quelques années de profondeur et que si les hasards de mes futures rencontres le permettaient, je partagerais cette si douce découverte.

Je n'en fis rien.

CHAPITRE 5

LES PODIUMS PUBLICITAIRES: L'AVEUGLEMENT DU SUCCÈS

Fin 1980, je rentrais définitivement en Belgique.

Pas un sou devant moi, une petite maison prêtée gratuitement, un boulot de gérant de magasin de disques, mais surtout aucune idée de ce que j'allais faire de ma vie. Ces mois de vague et douce dérive et de réadaptation occidentale furent en fait un long tunnel où la musique prit toute la place possible. Pas de vie amoureuse, pas vraiment d'horizon : le jazz, la chanson française ou brésilienne, le rock ou la musique classique du XIXe siècle suffisaient à mon équilibre. Je mangeais avec les livres, rêvais avec mes vinyles, et le temps passait en douceur.

Puis, pour arrondir quelques fins de mois difficiles, je me fendais de pondre quelques textes publicitaires. Jusqu'au jour où un ami plus attentif me convainquit qu'il y avait là un talent que je ne me soupçonnais pas. Une petite annonce d'emploi en agence de pub plus tard, je me retrouvais en stage chez Norman, Craig & Kummel, agence américaine implantée à Bruxelles. Dans ma tête, on parlait de quelques mois, histoire de remplir le compte en banque, et puis on verrait.

Et on a vu. Je passerai 30 ans dans cette industrie.

Au début, ce nouveau jeu que représentait la rédaction publicitaire me permettait de faire mes armes avec un bagage hérité de mes humanités classiques, que je redécouvrais avec gourmandise. Je m'émerveillais de voir que ces six lointaines années d'études de grec et de latin, suivies de ces années universitaires de rédaction journalistique pouvaient drôlement m'être utiles et lucratives. La pub en ces temps-là payait vite.

Et beaucoup si le talent était au rendez-vous.

Manifestement, mes patrons et nouveaux collègues m'en avaient découvert, du talent. La sourde machine des podiums de la gloire publicitaire était en marche. Je ne savais pas de quoi il s'agissait, tout heureux de pouvoir juste louer mon premier appartement, acheter une première voiture d'occasion, remplir mon premier frigo à volonté.

LA sourde machine des podiums de la gloire publicitaire était en marche.

Ce métier de concepteur-rédacteur publicitaire, tout comme tous ces métiers dans le monde de la publicité de l'époque, fonctionnait déjà très simplement. On n'était toujours que l'homme de sa dernière campagne. Curieuse mécanique professionnelle qui faisait que nous ne bâtissions pas vraiment sur du long terme : les médias qui traitaient de notre métier s'emballaient chaque mois pour de nouvelles créations, qui là pour une série d'affiches provocantes, qui là pour une publicité télévisée à mourir de rire. Et nous créatifs d'agence, grandissions – ou non – en fonction du *buzz* qui accompagnait la sortie de nos campagnes. Bien sûr que nous travaillions pour des clients, des marques, des annonceurs qui, le nez dans leur chiffre d'affaires et leurs marges, attendaient de nous l'idée qui ferait mal à la concurrence, l'idée qui ferait exploser leurs ventes. Bien sûr.

Bien sûr aussi et surtout, nous travaillions pour notre portfolio, sorte de recueil de nos « meilleures idées », ce portfolio qui ferait monter les enchères de notre réputation au *box-office* de la création publicitaire. Une campagne qui marchait était souvent pour nous une campagne que nos complices d'industrie reconnaissaient, une campagne qui mettait notre nom un peu plus haut dans le classement des créatifs de pub. Un peu plus haut équivalait à terme à un réajustement salarial, sinon à un débauchage plus lucratif par une agence concurrente.

Ainsi allait ce métier que je découvrais à coups de slogans plus ou moins habiles, de formules ou de textes bien torchés. Une idée chassait l'autre, une campagne effaçait la précédente : moi, je n'y voyais qu'une ascension enthousiasmante, une course délirante où mon instinct de chasseur du mot juste – qui avait connu d'autres destinées à l'adolescence – était devenu une mine d'or, un tremplin vers la fortune, une nouvelle raison de vivre. Je dégainais des idées publicitaires toujours plus solides, toujours plus efficaces, toujours plus visibles : je me faisais débaucher ainsi chaque année pour des salaires toujours plus magiques, des promesses toujours plus scintillantes.

Trois ans après avoir commencé, j'avais oublié le Sahara, mes méditations inspirantes, les bancs d'école de Zinder et ses étudiants.

J'étais aveugle.

Entre-temps, j'avais rencontré le grand amour et fondé famille. Ma belle Charlotte était née, mon doux Adrien arriverait bientôt, et le fait que je pouvais assumer matériellement ce nouveau bonheur ne m'aidait pas à regarder avec distance cette nouvelle vie qui se construisait si vite à mon insu.

À mon insu en effet, tout allait si vite, si facilement que tout ce que mon chapitre sahélien m'avait apporté en matière d'éveil, de réflexion, de hauteur semblait se perdre dans mon emballement professionnel. Ces années 80 avaient le don de vous éblouir, et la pub participait de cette folie consumériste avec toute sa puissance de feu. Une sorte de frénésie des coups de pub s'était emparée de moi. Il me fallait accoucher des pubs les plus dérangeantes, celles qui feraient parler d'elles et tant pis pour ceux qui seraient sur mon chemin : ils devaient s'attendre à toutes les invectives, les agressives remarques, les gestes de matamore. Un matin, apprenant que l'agence refusait de soutenir ma recommandation créative, je n'hésitai pas à déposer ma démission sur le bureau du vice-président : ce serait ma campagne ou rien. Le comble, c'est que mon vice-président me rappela en mettant dans la balance de ma démission le succès de ma campagne : soit ma recommandation serait couronnée et je garderais ma place, soit ce serait un échec et là, ce ne serait pas ma démission, ce serait mon licenciement. Et ? Et… ma campagne remporta l'adhésion du client.

UNE sorte de frénésie des coups de pub s'était emparée de moi. Il me fallait accoucher des pubs les plus dérangeantes, celles qui feraient parler d'elles et tant pis pour ceux qui seraient sur mon chemin.

Rien pour égratigner mon arrogance, rien pour ébranler mes certitudes.

Quand je me pose quelques instants sur ces premières années de publicitaire, je démonte plus facilement les engrenages qui inexorablement m'entraînaient loin de la conscience, oserais-je dire de l'intelligence humaine. En fait, j'avais très vite compris que ce métier ne pouvait me réussir qu'à condition de le dominer, mais pas à moitié. Il me fallait être en haut, tout en haut. Sinon je stagnerais, je douterais et… mes patrons douteraient de moi.

Je n'avais que trois ans de métier derrière moi, déjà une certaine notoriété, mais il me fallait accélérer, grimper. Je me suis donné alors un simple objectif : être le meilleur concepteur-rédacteur en Belgique avant cinq ans. Simple, clair et irréfutable. Je serais le meilleur ou je ferais autre chose. Incroyable comme les paillettes du métier m'avaient muté, retourné comme ces poulpes qu'on décalotte pour mieux les tuer.

Je n'étais plus un homme, un publicitaire : j'étais une ambition, un horizon, un podium.

JE n'étais plus un homme, un publicitaire: j'étais une ambition, un horizon, un podium.

Michel Mergaerts, un réputé directeur de création de l'époque, m'embauchait en me signifiant que j'avais trois mois pour lui prouver que je valais quelque chose ; c'était deux de trop. On me confiait des marques que les autres créatifs ne voulaient pas nécessairement, je les prenais pour montrer qu'on pouvait en faire de l'or et ainsi de suite. Tout était en place pour gravir les marches de la reconnaissance publicitaire belge : la « grande gueule » avait découvert une nouvelle piste pour danser, faire son *show*, oublier au passage sa rousseur « complexante » et aller chercher les statuettes d'or de l'industrie. Le mot « écoute », je l'avais gardé pour l'usage strict du métier : pour ce qui était de la maison, je l'avais égaré. Rentrant chez moi, je parlais pubs, je me gargarisais des ondes de reconnaissance qui planaient autour de moi sans vraiment saisir que tout cela ne représentait pas grand-chose. Mais pire, je vivais mon rôle de père avec autorité et une triste dose d'impatience vis-à-vis des enfants : je les voyais grandir mais ne les regardais qu'avec parcimonie. Leurs jeux et leur créativité m'arrangeaient : je ne devais pas leur consacrer trop de temps, ils s'occupaient très bien sans moi. Pour ce qui est de mon couple de l'époque, ma place d'homme pourvoyeur justifiait à elle seule ce personnage impulsif qui agissait avec légèreté, tout convaincu que tout m'était dû et que le peu d'écoute que je me tolérais, c'était d'abord réservé pour le boulot.

Et encore, j'écoutais ce qui pouvait me servir, servir ma créativité, servir mon ambition.

Ne comptaient que le succès, les projecteurs, les augmentations salariales, le regard envieux des uns, les flatteries intéressées des autres, les cocktails annuels sur la Croisette cannoise, les trophées glanés sur les scènes internationales de la publicité.

Tout participait à ma nouvelle construction sur des fondations que je croyais d'airain et je ne voyais pas que non seulement toute cette quête était bien vide de sens, mais qu'en plus elle fissurait lentement mais sûrement cette famille que je gâtais de confort à défaut de présence.

De fait, c'est dans cette *absence* totale que je me retrouvais en 1987 au sommet de l'affiche : je récoltais alors mon lot de Chapeaux (statuettes récompensant les meilleurs pubs de l'année en Belgique) pour des campagnes aussi prestigieuses que Perrier et Larousse, par exemple, mais surtout j'étais sacré « Meilleur copywriter » de l'année. Ce soir-là, l'alcool, les accolades, les tapes dans le dos gonflaient mes veines de gloire et de puissance. Et puis, et puis au petit matin, je rejoignais la maison avec ma caissette de carton où cliquetaient les « Chapeaux » ... comme un tic tac de compte à rebours, de compte à rebours avant l'implosion, la désagrégation. La chute. La dépression.

J'ÉTAIS en haut. Et plus rien.

J'ÉTAIS en haut. Et demain ?

J'ÉTAIS en haut. Et après ?

J'ÉTAIS en haut. Mais j'étais qui ?

Ce matin-là, je ne comprenais plus, je ne me comprenais plus. Cinq années où j'avais bataillé pour arriver à ce sommet et là, je me sentais vidé, creux, transparent.

Je me remémorais Camus racontant Sisyphe remontant sa pierre. J'avais monté ma pierre tout au long de cette fulgurance professionnelle, mais elle avait basculé le soir même où je l'avais poussée au sommet.

Et ce matin, je regardais au pied de la montagne ma pierre à côté de moi.

Qu'avais-je gagné hier soir ? Qu'avais-je conquis ? Qu'avais-je prouvé ? Qu'avais-je apporté ? Qu'avais-je signifié ? Qu'avais-je… ?

Le verbe « être » ne faisait pas partie des questions, mais son absence hurlait en moi : j'avais oublié *d'être* tout au long de ce chemin de jeune publicitaire arrogant.

J'AVAIS oublié *d'être* tout au long de ce chemin de jeune publicitaire arrogant.

Cette « petite mort » allait trouver un écho bien particulier lors de mon premier séjour au Québec. En effet, le Mondial de la pub francophone organisait son grand rendez-vous à Montréal. À l'époque se réunissaient une fois par an les publicitaires de la francophonie pour débattre du métier, mais aussi pour se partager quelques lauriers et autres trophées bien brillants. Vu que Michel Mergaerts[4] et moi avions le bonheur d'y être couronnés en plus d'y faire des présentations, nous voilà débarquant pour la première fois dans ce Québec bien effervescent pour deux jeunes loups belges de la pub.

4 Michel Mergaerts m'avait recruté comme jeune publicitaire en 1984 et démarra avec moi notre agence Kadratura en 1989. Il est depuis et pour toujours mon ami.

Dix jours où bien sûr nous allions ramasser nos statuettes, récolter des applaudissements, mais 10 jours inoubliables aussi où j'aurais le bonheur de survoler l'été indien des Laurentides avec Jean-Claude Lauzon dans son hydravion, où j'aurais la chance d'écouter René Lévesque lors de son dernier discours public sur la défense de notre francophonie (il décédera deux semaines plus tard). Dix jours qui me feraient le cadeau de rencontrer un homme adorable et inspirant qui me donnera le goût définitif du Québec : le publicitaire Jean-Jacques Stréliski.

Au-delà de ces émerveillements, ma « déprime post-Chapeaux » trouvera en ces terres de Nouvelle-France une résonance particulière. Je découvrais chez les Québécois et Québécoises une autre façon de vivre, plus directe, plus douce, moins sèche... et plus riche de sens, je le saurais à terme.

Je rentrai donc à Bruxelles très bousculé par ces rencontres et si je n'avais pas encore totalement retrouvé mes esprits, pointait dans un coin de ma conscience l'idée qu'il me faudrait un jour réinventer mon quotidien et que cette réinvention pourrait mieux se réaliser en terre québécoise. Je voyais dans cette hypothèse le souffle qui me recentrerait, l'espace qui me donnerait à nouveau l'occasion de retrouver de la profondeur, de l'authentique.

La graine était plantée, elle mettrait sept ans à germer.

Or, on ne se méfie jamais assez des trompettes de la gloire : après avoir conquis mon lot de podiums, avoir découvert une terre de rédemption possible, je me trouvai bien vite une nouvelle pierre à remonter au sommet de la montagne, tel un Sisyphe amnésique. Il manquait de fait à mon ambition l'occasion de démontrer à cette industrie que je pouvais aussi avoir ma propre agence de pub, construire mon propre succès et non plus simplement participer à celui des autres.

Avec trois complices de talent (dont mon désormais ami et complice Michel Mergaerts), je fondais Kadratura, l'agence qui allait résoudre la quadrature du cercle : faire de la grande pub créative qui vend ! On n'était pas gênés : on était tellement convaincus de notre supériorité que même les invitations au boycottage de notre agence par l'industrie publicitaire belge ne nous découragèrent pas. Les sentiers de la gloire publicitaire nous avaient inoculé cette sorte de suffisance qui nous protégeait de l'échec.

Et ce fut une réussite. Là encore, l'histoire ne m'aidait pas : les années se suivaient et rien ne venait m'alerter sur le vide abyssal de cette course effrénée. Oh, j'en ai bien croisé de ces talents émancipateurs, de ces intelligences issues d'autres mondes, de ces intelligences qui vous éveillent, vous questionnent, vous contestent, vous… condamnent à vous remettre en cause. Je pense entre autres à Pierre Sterckx qui dirigeait à l'époque l'École de recherche graphique à Bruxelles, brillant spécialiste de l'art contemporain et ami d'Hergé, mais je vivais ces rencontres comme parallèles, fortuitement intéressantes sans doute, mais ne pouvant en aucun cas bousculer mes certitudes, intervenir dans mon parcours.

En fait, je ne suis pas sûr que je « vivais » ces rencontres ; je pense que je les consommais… comme tout le reste. Elles me servaient, me distrayaient : triste constat d'un ego qui ne voyait même plus l'autre en dehors de ce qu'il pouvait lui apporter. La seule chose qui semblait retenir mon attention était l'utilité de la relation au sens « carriériste » du mot. La part humaine de l'autre, plus personnelle, me semblait superflue. Et vu que je me sentais pas mal bon, sinon supérieur, l'autre était là mais pas plus. Non que je lui manquais de respect : je ne ressentais pas d'intérêt, de curiosité… J'avais perdu la clé de l'échange et si au hasard de l'une ou l'autre conversation je redécouvrais le sincère bonheur de

ET vu que je me sentais pas mal bon, sinon supérieur, l'autre était là mais pas plus. Non que je lui manquais de respect : je ne ressentais pas d'intérêt, de curiosité.

l'accueil, de l'écoute profonde et attentive, ce n'était là que détail de mon quotidien.

J'avais tort bien sûr : il y avait pourtant là matière à ébranler ma trajectoire, un terrain fertile pour élargir mon champ de vision, ouvrir de nouvelles pistes.

D'évidence, on ne fait pas assez attention à ces beaux risques de rencontres et pourtant ce sont elles qui enrichissent le plus notre vie. J'ai pris le temps depuis de les revisiter, ces fameuses « rencontres », et de leur donner leur vraie place à mes côtés : celle du partage, de l'amitié fidèle et attentive. Je me dois de remercier ici ces personnes qui malgré mes « années aveugles » ont continué à me voir, à m'aimer… à être tout simplement là. Comme si elles se disaient qu'un jour je passerais à autre chose, de plus essentiel, de moins expéditif, de plus dense, de moins fade.

Le métier, la carrière, tout cela est beau, excitant même. Mais on ne saisit pas combien les voies professionnelles sont bien souvent des chemins plutôt étroits où les personnes cultivent un système de valeurs qui est là juste pour nourrir la légitimité du métier et les contraindre à le suivre avec discipline. Avec tout ce que cela implique de réseautage incestueux, complaisant et – dans le cas de la pub – cynique.

Après ces 10 premières années passées à créer de la pub pour tous les marchands du temple, je ne comprenais pas que ma personne s'était « amputée » de bien des talents, de bien des curiosités tant humaines que spirituelles. La publicité, et surtout son rythme dément, m'avait enlevé toute dynamique de substance, toute envie de regarder à l'extérieur, toute envie d'investir dans ce qui ne serait pas « efficace et rentable pour ma carrière ». Hier, je me passionnais de lectures profondes, je me délectais de croquis sur les marges de cahiers, je me perdais à écrire des poèmes, je passais des heures à découvrir des musiques impossibles.

Tout cela était maintenant enfoui sous une belle couche de superficialité.

Comme bien d'autres, ce métier avait ses exigences et, à la sortie, il nous le rendait bien : il nous payait grassement, nous qui « faisions des jokes » dans des publicités et passions nos journées à inventer des affiches, des images, des films qui demain nous feraient encore gagner plus d'argent. La roue tournait délicieusement et mon innocence n'avait d'égal que ma lâcheté à ne pas reconnaître que tout cela manquait de sens, et plus gravement de pérennité.

Une conversation avec mes deux grands enfants avait bien plus tard tourné autour de : « Qu'est-ce qui te rend le plus fier dans ta carrière de publicitaire ? » J'avais bien gardé quelques vidéos, encadrés quelques tirés à part de mes affiches les plus intéressantes, mais je ne pouvais sincèrement démontrer que l'une ou l'autre de ces créations avaient contribué à un mieux-être des gens autour de moi. J'avais bien contribué à faire rouler une industrie, un métier, j'avais très bien gagné ma vie, accompagné confortablement une famille, mais la trace, cette petite signifiance que chaque homme a parfois la chance de laisser derrière lui… rien.

C'était là ma sincère et désolante réponse à mes 30 années de pub.

Pas question ici de m'ouvrir le ventre et de renier cette vie, cette carrière : juste mettre un pied à terre. Pour relire, pas réécrire. Prendre le temps de démonter la bête.

« Il n'est pas de sot métier », dit le proverbe.

Je ne peux qu'être apaisé d'avoir découvert, ces 13 dernières années, que nous sommes plus que notre métier. Je ne peux qu'être heureux d'avoir découvert que négliger cet espace de

JE ne peux qu'être apaisé d'avoir découvert, ces 13 dernières années, que nous sommes plus que notre métier.

créativité, d'humanité que nous avons en nous en choisissant un métier, c'est prendre le risque de n'exister QUE par ce métier. Avec tout ce que cela implique de blessures dépressives, de chute douloureuse le jour où ce métier vous signifie vos premiers signes de faiblesse, de perte de confiance. Combien autour de nous de ces hommes et femmes qui, du jour au lendemain en perdant leur boulot, sont à ramasser à la petite cuillère ? Combien parmi eux sortent hébétés devant cette perte de relations, de machine à café, de bonjours matinaux si salutaires ? Il ne faut pas négliger cette douce construction rassurante qu'est la vie au travail, mais il est encore plus dangereux de négliger cette face cachée de la dépendance au métier qu'est sa mécanique de valeurs. N'exister que par cette dernière, c'est comme prendre le risque de s'intoxiquer et de tomber dans une lourde dépendance. Comme une drogue douce, elle vous met sur un nuage, vous donne l'impression que ça durera toujours et puis un jour, on vous signifie d'une manière ou d'une autre que vous ne faites plus l'affaire, vous êtes « moins », ce métier pour lequel vous aviez tout donné ne vous reconnaît plus trop. Bonjour le sevrage : tout cet échafaudage courageusement monté année après année s'effondre et cet « être » n'est soudain plus qu'une ombre. Le miroir flatteur qu'était votre industrie ne vous renvoie plus d'image, vous avez disparu.

Comme je le disais précédemment, chaque industrie possède son propre chemin bien contraignant de reconnaissance. À force, nous devenons à notre insu des acteurs dévoués et engagés, mais surtout des êtres humains monolithiques, des êtres humains au profil simplifié, efficace à souhait sans aucun doute, mais engoncé dans un schème refermé et dangereusement inutile pour peu qu'il ne corresponde plus un jour au moule. Ainsi, lorsque cette attache se rompt, lorsqu'un vilain matin cette industrie nous met en marge, notre personne si bien formatée et élaguée se retrouve perdue.

Et c'est là qu'on regrette toutes nos richesses personnelles oubliées en chemin, sacrifiées parce que pas rentables, parce que pas conformes au besoin de la carrière, parce que ne rentrant pas assez dans le cadre de notre métier.

Mes murales sahéliennes, mes dessins, mes travaux d'écriture personnelle avaient été un petit signe que je pouvais exister, m'exprimer au-delà d'un métier : plus, je pouvais y trouver un vrai bonheur et redécouvrir le plaisir de partager d'autres choses moins superficielles, plus sincères, plus intimes, propres.

Ces petits jardins secrets, je les avais négligemment rangés dans les anecdotes de ma vie sans me douter qu'y revenir un jour m'aiderait tant à corriger mes déséquilibres.

CHAPITRE 6

1994.

Un autre 11 septembre. Nous débarquions au Québec, au Canada.

J'avais vendu agence, maison, tout mis dans deux conteneurs, dit adieu à bien du monde pour recommencer une vie ailleurs, dans une ville qu'on dit si européenne en Amérique du Nord : Montréal. Montréal qui au premier abord nous séduisait : ses parcs, sa douce chaleur de septembre, son monde si gentil, si accueillant. Et ce qui ne gâchait rien, ce sourire complice : « Ah, vous êtes Belges ! »

Nous avions trouvé une vieille maison victorienne dans Outremont : beaucoup à retaper, mais n'était-ce pas là le but de cette migration ? Retaper une vie qui partait à vau-l'eau.

J'avais convaincu ma petite famille de traverser l'océan pour nous donner de l'air, exposer notre regard à d'autres paysages, de nouvelles rencontres, de nouvelles amitiés. J'espérais secrètement reprendre mon métier avec plus de prudence, plus de retenue, moins d'aveuglements.

J'AVAIS convaincu ma petite famille de traverser l'océan pour nous donner de l'air...

Quitter la Belgique n'avait pas été pour moi bien difficile : si les amis que j'y laissais allaient certainement me manquer, je voyais dans cette rupture avec le milieu publicitaire belge une fantastique opportunité de redéfinir ma façon de vivre mon métier.

Je voyais dans ce nouveau pays d'adoption une terre pour accueillir un nouveau Patrick. Je le voulais inversé : plus proche de l'authentique, plus ouvert, mais surtout libéré de la machine publicitaire. Vivre de la pub, d'accord, mais ne plus en dépendre.

Mais ça a bien mal démarré. Yves Gougoux – qui présidait alors aux destinées de l'agence BCP et qui m'avait convaincu de débarquer avec armes et bagages – avait mis en place tout un plan de lancement de ma petite personne. Ce n'est pas un directeur de création qui atterrissait à Montréal, c'était une star de la pub, un gourou qui allait tout révolutionner, un monstre européen de la publicité, et on allait voir ce qu'on allait voir.

À peine arrivé, je faisais ma première apparition à l'émission du matin de TVA, je répondais aux questions de *Elle Québec* et je voyais ma tronche sourire dans les journaux. Pour une arrivée toute en humilité, j'étais gâté.

Et je me suis laissé faire : c'était rassurant, encourageant, un peu comique à l'occasion, mais je ne voyais là-dedans que sympathique attention même si ça sentait – puait ? – le « coup de pub » à plein nez.

On ne change pas le métier en changeant de continent.

Le défi était bien plus immense que celui qu'Yves Gougoux avait dépeint.

De fait, on avait beau partager la langue, une certaine européanité, les clients, les créatifs... tout était différent. Et le « messie publicitaire » tant attendu allait frapper tout un mur. Ici encore, l'aveuglement du métier allait me coûter cher : j'avais oublié en chemin que le publicitaire qui avait cumulé les succès pouvait un jour trébucher, échouer.

À l'époque, Yves Gougoux avait décidé de vendre son agence. Je n'étais qu'un bien petit actionnaire, mais je me disais que si Yves était venu me chercher moi et mon palmarès à Bruxelles, j'avais ma place dans n'importe quel avenir que mon *boss* voudrait bâtir.

J'AVAIS oublié en chemin que le publicitaire qui avait cumulé les succès pouvait un jour trébucher, échouer.

Erreur fatale : BCP fut vendue deux ans plus tard à Publicis et moi, remercié par la même occasion.

C'était un autre 11 septembre.

Le 14, soit trois petits jours plus tard, ma chère épouse me quittait après 15 ans de vie commune. Charlotte et Adrien restaient dans une belle maison restaurée d'Outremont avec un papa sans boulot, un papa qu'ils n'avaient jamais trop vu en dehors des vacances.

Nous avions à peine atterri à Montréal.

Que s'était-il passé ? Que n'avais-je vu ? Quel signal avais-je ignoré ?

J'étais perdu. Effondré.

Une fois de plus, la vie me frappait de plein fouet comme en ce lointain mois de janvier de 1978 où j'avais – à la sortie d'une première séparation – pris un billet sans retour pour le Niger, ce Zinder au paysage désolé, ces horizons poussiéreux et solitaires.

Je ne m'éterniserai pas sur ces nuits, ces semaines, ces mois de dégringolade : tout s'effilochait. Mes enfants découvraient un père effondré, paniqué, voire suicidaire. Le pilier d'hier, le pourvoyeur infatigable, la fière figure paternelle n'était plus qu'une ombre qui devait réapprendre à cuisiner, à gérer les retours de l'école, les dodos, les petits déjeuners, les courses, les entraînements de hockey, les lessives... toutes ces petites choses qui font qu'une maison vit. Sauf que la maison ne m'avait jamais vu faire.

Hier, j'avais été trop souvent absent. Aujourd'hui, j'essayais d'être présent. Mais détruit.

HIER, j'avais été trop souvent absent.
Aujourd'hui, j'essayais d'être présent.

On dit que les trois traumatismes les plus douloureux pour un homme ou une femme sont la perte d'un emploi, celle d'un conjoint ou un déménagement. J'avais vécu ce dernier deux ans avant, je vivais les deux autres en l'espace de trois jours.

Rentrer en Belgique pour retrouver mes bases fut ma première idée. Là-bas, le métier me reconnaissait encore, mes potes sauraient me redonner des ailes, m'aider à oublier ce fiasco... Les semaines passèrent et la vérité lentement se manifesta : depuis mon jeune âge, j'avais fui chaque fois que j'avais ressenti le besoin de redonner une nouvelle dynamique à ma vie. Hier, le Niger ; aujourd'hui, le Québec.

Partir encore pour où, pour quoi... ? Ça n'avait pas de sens.

J'avais choisi le Québec, pas un certain Yves Gougoux.

Je n'avais pas choisi de quitter la vieille Europe pour une agence de pub, j'avais choisi le Québec, j'avais choisi de vivre au milieu des Québécois et Québécoises.

Bien sûr, j'étais à terre, mais il fallait que je me reconstruise ici d'abord en comptant sur moi, que sur moi. Ce « moi » que j'avais nourri trop longtemps de paillettes, il me faudrait le rebâtir autrement, le protéger de certains mirages, de certaines fréquentations toxiques. Commença alors un long et tortueux chemin d'introspection où tout doucement je démonterais cette machine infernale qui m'avait amené là où j'étais : dans le vide. Et quelle machine !

Une machine qui a tout son temps pour vous aveugler, vous broyer, vous réduire à néant pour vous laisser un beau jour seul... sans autre bagage que votre succès passé, bien vite effacé. Les premiers mois furent une longue dégringolade où je découvrais, atterré, que tout ce qui avait contribué à définir ma personne ne m'appartenait pas, ne m'avait jamais vraiment appartenu. Cette image que j'avais de moi, cette réputation que je m'étais forgée, ce n'était pas moi, cela n'avait jamais vraiment été moi. Le métier m'avait modelé année après année, et je découvrais grâce à mon travail d'analyse que je m'étais fait un portrait bien loin de ce que j'avais voulu être.

CETTE image que j'avais de moi, cette réputation que je m'étais forgée, ce n'était pas moi, cela n'avait jamais vraiment été moi.

J'étais devenu un autre. Que je ne reconnaissais plus. Tel un archéologue qui époussette un artéfact, je découvrais une personne lointaine : elle aimait les lectures ambitieuses, les défis du croquis, les rencontres inspirantes, les voyages qui bousculent... et cette personne, c'était sans doute moi, mais tout moi.

Je voyais se dessiner un personnage nouveau, ou plutôt réapparaître un personnage que j'avais été il y a si longtemps, par bribes, par accident parfois : un être plein, cohérent, apaisé. En fait, ces mois de reconstruction allaient devenir des années, car on ne se libère pas d'un coup de plumeau du fard de la publicité et de ses fastes éblouissants.

Ma première grande décision fut celle d'abandonner l'ambition. Pas n'importe laquelle : l'ambition égocentrique qui gouvernait si violemment la trajectoire de mon métier, il me fallait la mettre au rancart définitivement. Bien sûr que l'ambition en général peut être moteur de réussite, mais je découvrais que quand celle-ci prend cette dérive orgueilleuse et égoïste, elle est dangereuse pour soi parce qu'elle aveugle. Elle est nocive pour les autres parce qu'elle les étouffe ou, au pire, les invite à l'affrontement égocentrique. Mettre cette ambition toxique de côté était une chose, encore fallait-il que je trouve un nouveau moteur de motivation qui ne risquerait plus de me perdre. C'est ici que toute une vie passée à courir la reconnaissance extérieure à soi vous apparaît dans son immense vacuité : depuis les regards de nos parents, tout concourt à nous convaincre que la construction de notre succès passe par ce regard extérieur, ces regards admiratifs, ces augmentations de salaire, ces statuettes de la célébrité… Et puis le jour où le rideau tombe, rien.

MA première grande décision fut celle d'abandonner l'ambition.

Là, je commençai un drôle d'inventaire, celui des passions bêtement interrompues, des territoires volontairement oubliés. Pourquoi avais-je voulu faire des études de journalisme ? Pourquoi avais-je dessiné jusqu'à mes 30 ans ? Et ces poèmes musicaux, où les avais-je remisés ? Mon goût de l'enseignement, où l'avais-je abandonné ? Toutes ces questions remontaient sans peine. Je ne pouvais que me résigner à ce constat paradoxal, à la fois désolant et émerveillé : j'avais existé ailleurs, à une autre époque que dans le monde de la pub. Mais j'avais oublié.

Et demain, pourquoi pas, je pourrais apprendre à exister au-delà de ce métier qui m'avait – je ne dois jamais l'oublier – bien nourri, mais d'évidence trop gâté.

Très vite, je me rachetai des crayons, un carnet ; ma main reprit le chemin du croquis avec ce petit et gourmand bonheur de la renaissance. Je soignais avec attention une nouvelle lenteur, je prenais le temps de donner à mes gestes l'espace dont ils avaient besoin. Je m'émerveillais devant ces menus plaisirs que m'offrait ce ralentissement de mon quotidien.

Mes escapades à Chypre, Paris, Saint-Jean-de-Luz et Lisbonne me suggérèrent quelques sujets d'écriture, quelques dessins. Mais surtout ces rues inconnues arpentées au hasard me firent l'immense cadeau de réflexions propres à me donner ces petits coups de pouce dans le bon sens, le sens de l'authentique. Et la lecture de la mélancolie de Fernando Pessoa ne pourrait que nourrir délicieusement ma lente reconstruction.

J'apprenais là une leçon majeure qui contribuerait à me remettre en selle : être moi, entièrement moi, mais rien que moi. Il me fallait absolument devenir sévère avec moi-même pour tout ce qui touche mes choix à venir. Je devais mettre le temps qu'il faut pour bien circonscrire les valeurs qui m'ancraient, celles qui étaient en résonance avec mon tréfonds et assumer la mise à l'écart de celles qui me déséquilibraient, me mettaient en porte-à-faux. Il y allait non seulement de ma capacité à retrouver un équilibre mais surtout – plus essentiel – un jugement sain pour faire les bons choix. Ce long processus se nourrit de rencontres avec des personnes parfois bien éloignées de mon milieu professionnel d'origine, mais pourtant tellement essentielles. Cela eut l'énorme avantage de me faire connaître de bien belles personnes, mais surtout d'éclaircir mon regard sur ce qui m'entourait.

J'APPRENAIS là une leçon majeure qui contribuerait à me remettre en selle: être moi, entièrement moi, mais rien que moi.

Comme si le ciel était plus bleu, les arbres plus grands, la pluie plus musicale.

Je devine votre sourire, mais c'était là, évident : tout mon corps réapprenait l'éveil, ma peau redécouvrait les frissons, mes yeux fixaient de nouvelles nuances, de nouvelles couleurs. Nous ne nous rendons pas compte à quel point la course au succès professionnel peut non seulement borner notre vie, mais aussi éteindre en nous notre capacité d'émerveillement, asphyxier nos sens et plus grave encore : nous rendre étanches à la rencontre, à l'autre.

Si je voulais retrouver ma place dans un métier ou un autre, il me faudrait travailler fondamentalement cette notion d'accueil pour ne plus jamais me perdre dans ce miroir suicidaire de l'ego.

CHAPITRE 7

ON PREND LE MÊME ET ON RECOMMENCE

Retrouver mes racines fut donc le grand chantier de cette année de rédemption.

J'avais toujours rêvé de faire de la radio et si j'avais eu le bonheur de fréquenter ce beau monde à l'occasion de l'émergence des radios libres en Europe au début des années 80, j'avais très vite déchanté faute de débouchés professionnels sérieux. Mais pourquoi n'en referais-je pas au Québec ? Pourquoi ?

Une petite intervention pour commencer à une émission de la pétillante Christiane Charette[5], une chronique ensuite à *Jamais sans mon livre*[6] de la délicieuse Marie-Louise Arsenault, et tout en douceur, ma voix fit sa voie dans le monde médiatique pour atterrir un beau jour à la première chaîne radio de Radio-Canada, à *Indicatif présent*[7] de Marie-France Bazzo : la consécration radiophonique à mes yeux. Mais là, tout avait changé : je n'abordais plus ces nouveaux défis

5 *Christiane Charette en direct*, émission diffusée à la télé de Radio-Canada de 1990 à 2000.
6 *Jamais sans mon livre*, émission diffusée à la télé de Radio-Canada de 1999 à 2002.
7 Magazine socioculturel quotidien animé par Marie-France Bazzo et diffusé à la radio de Radio-Canada de 1995 à 2006.

médiatiques pour les flashs de la renommée ou me bâtir un autre podium, je le faisais juste pour le bonheur de partager des sujets avec des gens inspirants et diablement intelligents.

La pub ? Je l'avais remise à sa juste place : un métier que j'aimais et que je continuerais à pratiquer dans l'excellence, mais cette excellence qui peut se passer des luttes sans merci, des affrontements narcissiques.

Début 1997, j'entrais chez Cossette. Par la petite porte et grâce à la vision généreuse de François Duffar, président du conseil de Cossette à l'époque. D'aucuns dans cette formidable agence me voyaient encore avec l'habit du *Créatif Sauveur de BCP*, un habit bien mité. En fait, je rentrais avec un esprit tout en questionnements bien loin de la réputation que j'avais si tristement contribué à bâtir. Mais il me faudrait accepter que cette mue soit lente à être reconnue.

DÉBUT 1997, j'entrais chez Cossette. Par la petite porte...

Dès le début, je fus mis de côté. On me confiait bien des mandats, mais de ces mandats que personne parmi les stars de la création ne voulait vraiment. Je passais donc là le meilleur test quant à ma petite révolution personnelle.

Elle était où la grande gueule d'hier ? Il était passé où le créatif d'exception ?

Il était là dans un petit bureau partagé loin du service de la création – pour ne pas le mélanger avec ceux qui étaient en haut de l'affiche à l'autre étage – à pondre des campagnes de marketing direct pour des clients discrets. Le comble de la dégringolade pour un créatif qui avait conquis ses lauriers à coups de publicités spectaculaires pour des marques européennes aussi prestigieuses que Perrier, Peugeot, Liebig, Larousse, Lattoflex, Delvaux, etc.

Pourtant, je m'y faisais, à ce nouveau quotidien : je réapprenais le plaisir de faire un métier pour le métier, comme ces artisans qui façonnent leur pièce de bois avec application, juste pour le plaisir du travail bien fait, du bel ouvrage. Je n'avais plus de responsabilités, plus d'employés, juste une expérience à partager, une expertise à continuer d'affûter. Je n'avais plus vraiment d'objectif, de sommet à conquérir, et je découvrais le doux bonheur du chemin : j'allais au travail avec pour seule ambition – mais peut-on encore nommer cela ambition ? – l'envie de bien faire mon travail sans penser à cette image qu'on pourrait avoir de moi à la sortie de ma traversée du désert.

JE réapprenais le plaisir de faire un métier pour le métier, comme ces artisans qui façonnent leur pièce de bois avec application.

Le croquis était maintenant présent au quotidien, mes carnets se remplissaient de textes plus ou moins poétiques, la lecture avait pris la place de la télévision.

Mais surtout l'homme avait repris possession de son territoire et découvrait l'immensité du bonheur d'être un père présent : mes enfants avaient enfin pris leur place, toute leur place à mes côtés. Parce que j'avais fait de la place.

MAIS surtout l'homme avait repris possession de son territoire et découvrait l'immensité du bonheur d'être un père présent : mes enfants avaient enfin pris leur place, toute leur place à mes côtés. Parce que j'avais fait de la place.

Je les emmènerais bien vite en Cappadoce, puis au Mali, en Pays Dogon : j'avais décidé de partager ce que j'étais depuis toujours, un nomade curieux du monde, qui avait le goût de l'ailleurs, le goût de l'autre.

Ces années de reconstruction furent en tous points merveilleuses : j'avais touché le fond avec tant de douleur que je pouvais vraiment goûter chacune des marches que je gravissais à nouveau vers un équilibre jamais exploré auparavant, celui de l'enracinement.

J'avais couru comme un fou si longtemps à la recherche d'une identité qui n'était pas la mienne. Une identité qui appartenait à mon métier, sans doute, mais qui m'avait détourné de mes intentions premières et m'avait subrepticement transformé au point de me désarmer devant les obstacles de la vie. Avoir perdu à ce point mes repères profonds avait contribué à me fragiliser tels ces énormes pins aux racines si faibles qu'une seule tempête arrive à les coucher.

J'avais été un leader réputé, craint même par certains, mais tout cela n'avait pas résisté bien longtemps quand il s'était agi de vivre la perte de l'emploi et de son cortège d'avantages. Et je ne parle pas du départ de la conjointe, condamnation définitive d'une vie effilochée et dissolue.

En fait, nous ne nous rendons pas compte à quel point notre rôle dans une entreprise nous tient dans une sorte de statut artificiel, un piédestal tout en stuc. Je ne peux que mesurer aujourd'hui toute l'importance de grandir dans notre métier sans pour autant nous grandir à travers lui.

JE ne peux que mesurer aujourd'hui toute l'importance de grandir dans notre métier sans pour autant nous grandir à travers lui.

Je prenais conscience dans ce renouveau que mes fondations étaient plus larges, autres que celles strictement liées à mon métier. L'image que mon miroir me renvoyait progressivement n'était plus celle de l'ego satisfait du publicitaire victorieux, mais celle d'un homme plus doux, plus serein, plus clair.

Quinze années pour mettre le doigt sur cette vérité essentielle. C'est long, 15 ans…

Un changement de continent pour mettre au jour cette évidence que j'avais croisée sur les bancs du pensionnat de mes 16 ans : le *Gnõthi seautón* de Socrate, « Connais-toi toi-même. » Cette maxime ultime, je l'avais enfouie je ne sais où et là, elle remontait à la surface pour ne plus me quitter.

Fondation désormais indiscutable pour ce nouveau *boss* que je souhaiterais devenir demain si d'aventure l'occasion se présentait.

À quoi bon construire un personnage empreint de fards et autres manipulations quand il s'agit de diriger ?

À quoi bon se déguiser derrière des apparences quand il s'agit de décider ?

À quoi bon inventer des rôles artificiels quand il s'agit de faire des choix authentiques ?

À quoi bon être *un autre* au travail que celui qu'on est à la maison ?

Je venais en ces temps de reconstruction de simplifier drôlement mon quotidien, car je bazardais tout son attirail de mises en scène pour lentement découvrir une autre façon de diriger : celle de la sincérité, de la cohérence avec ce qu'il y avait de plus profond en moi, mes valeurs.

Il n'y aurait plus de jeux de rôles, de trompe-l'œil, de faux-semblants, juste une seule et unique personne en harmonie avec ses intentions fondatrices : respect, écoute, intégrité, tolérance.

IL n'y aurait plus de jeux de rôles, de trompe-l'œil, de faux-semblants, juste une seule et unique personne en harmonie avec ses intentions fondatrices : respect, écoute, intégrité, tolérance.

Comme pour m'encourager à l'époque, deux petits événements vinrent me donner l'occasion d'asseoir cette mutation essentielle.

Le premier fut ma nomination à la direction de création d'une des filiales de Cossette, Blitz. Y régnaient alors deux directeurs de création chevronnés et installés là depuis longtemps. Pas question pour moi de jouer au nouveau justicier : je travaillai donc mon intégration dans cette équipe avec prudence. Certes, je devinais les craintes que je pouvais générer. Aussi mis-je un point d'honneur à mesurer mes interventions et surtout à éviter les pièges et autres manipulations ridicules qui auraient visé à déboulonner l'un ou l'autre de mes collègues. Prendre ma place sans faire de l'ombre, reconnaître les talents précis de l'un ou de l'autre et les mettre en avant, identifier leurs territoires et les promouvoir… autant de démarches que mon nouveau leadership – en plein apprentissage – étrennait avec le plus de délicatesse possible.

Je n'étais plus le leader qui voulait gagner *sur* les autres, mais je découvrais le sincère plaisir de gagner *avec* les autres.

J'avais la chance de vivre ce renouveau avec Louis Larivière, Alain Gignac et Danielle Perron, des gens exceptionnels qui voyaient leur rôle de dirigeant avec une même sincérité. Ils avaient à cœur le succès, sans aucun doute, mais dans une approche fondamentalement plus collective.

Et dans cette industrie de la publicité, cette attitude plus « familiale » faisait tache pour le meilleur. J'étais bien tombé, assurément.

Je venais de traverser des années difficiles : j'avais remis en question jusqu'à ma vie et je dégustais là les premiers fruits de mes remises en question passées et surtout j'entrevoyais un lendemain.

J'ai évoqué deux événements. Le deuxième fut mon implication dans la fondation d'un nouveau programme aux HEC de Montréal en communication marketing.

Pendant un an, je travaillai donc à la mise sur pied d'un cursus sur mesure pour les professionnels de la communication du Québec, ce qui devint en 2000 le D.E.S.S. en gestion – option en communication marketing. Au-delà du recrutement des meilleurs talents de la profession pour animer ce programme, je pris la charge d'un cours qui me semblait essentiel aux futurs professionnels : l'histoire de la pub et de la société de consommation. Ma carrière de publicitaire m'avait clairement alerté sur la nécessité de partager avec la relève les enjeux éthiques de cette industrie de la pub que je vivais de l'intérieur depuis bientôt 20 ans.

J'avais vécu mon métier avec tellement d'inconscience par le passé que je voulais à ce stade ne plus être seulement un professionnel au sens pragmatique du terme, mais aussi une expérience qui se questionne, qui questionne.

Bien sûr que j'enseignais un métier controversé, bien sûr que je continuais à le pratiquer, mais j'endossais ici une responsabilité nouvelle, celle de partager avec des étudiants une réflexion, une prise de conscience qui était mienne, aussi paradoxale qu'elle puisse être. Sans me faire beaucoup d'illusions, mais en ayant à l'esprit ce souci neuf de la cohérence, j'étais devenu un leader qui ne se distanciait plus de la personne que je voulais être au sens privé du terme.

J'assumais.

La grande gueule avait perdu de sa voix, mais ne gueulerait plus les paroles d'une chanson qui n'était pas la sienne. Ces rendez-vous annuels avec de nouvelles cohortes d'étudiants sont rapidement devenus des points d'ancrage essentiels à mon équilibre. J'avais chaque automne une trentaine de jeunes professionnels ambitieux devant moi. Ils voulaient accélérer leur parcours dans l'industrie, ils voulaient aussi très vite leur marche du podium... comme moi 20 ans plus tôt.

LA grande gueule avait perdu de sa voix, mais ne gueulerait plus les paroles d'une chanson qui n'était pas la sienne.

Par petites touches, j'allais leur distiller du questionnement, de la réflexion et je l'espère de la conscience. Si je ne pouvais remettre en cause ce métier de publicitaire, je pouvais à tout le moins ouvrir d'autres perspectives où l'intelligence, le respect et l'éthique prenaient place. Ils avaient choisi ce métier, à moi qui l'avais pratiqué à l'aveuglette bien trop longtemps de les éveiller à une autre façon de l'aborder.

Tout au long de ces années d'enseignement, je profiterais ainsi de circonstances plus ou moins opportunes pour partager des pensées plus existentielles, des interrogations douloureuses aussi, comme celles que je m'étais posées un matin de novembre lors de la disparition dramatique d'un ami très cher : un publicitaire qui s'était perdu, ... pendu.

En fait, je me privais toujours moins de partager les questionnements très personnels autour des métiers de la communication en me libérant de toute posture de « fils de pub » à succès. J'étais dans le vrai, le « nu », et j'espérais ainsi secrètement faire prendre conscience à mes étudiantes et étudiants que ce métier pouvait être piégeant, étouffant, et qu'ils devaient s'en protéger. Bref, que toute cette dérive qui avait été la mienne pouvait être évitée.

Très symptomatique que, à la fin de chaque session, certains étudiants revenaient sur ces confidences « plus larges » partagées lors de l'un ou l'autre cours.

Comme si la matière enseignée avait pris de sa densité par ces détours délicats.

Cette densité, c'était sans doute la simple concrétisation de ce que j'étais devenu : un être plus profond, mais surtout un être plus complet.

En ces années de renaissance, je reprenais ma place d'abord vis-à-vis de moi-même et naturellement, sans forcer dans l'un ou l'autre sens, je retrouvais mon rôle de leader. Les événements se succédaient, et mon entourage me demandait de prendre de nouvelles responsabilités : ainsi je fus nommé en 2005 vice-président de toute la création de Cossette à Montréal pour accompagner des transformations organisationnelles majeures. Tout cela se faisait désormais en douceur. J'endossais ces nouvelles charges sans précipitation, mais surtout libéré de cette pression qui m'avait aveuglé par le passé.

Diriger est souvent synonyme de pression, pression à la réussite, pression au succès, pression de se mettre sous les spots de la renommée.

Pression de merde, oui !

Un leader, ça se doit d'être quelque part un point d'ancrage, briller pour inspirer ?

Oui, mais briller sous la pression ?

Oui, mais briller sans se faire piéger par l'ego ?

Là apparaissait ma nouvelle dynamique : je voulais briller autrement.

Je souhaitais devenir un *boss* qui brille, mais de cette brillance qui inspire sans distance, sans socle, sans artifice.

JE souhaitais devenir un *boss* qui brille, mais de cette brillance qui inspire sans distance, sans socle, sans artifice.

Je ne sais si les personnes avec qui j'ai travaillé en ces temps-là ont ressenti aussi clairement mes efforts, je le souhaite ardemment.

Il n'en reste pas moins qu'au fin fond de ma petite personne, une évidente paix avait fait son nid. Et le plus curieux dans toute cette histoire, c'est que les podiums sont revenus, non spécialement désirés, juste là pour reconnaître un talent, un métier.

Or, mon trophée n'était plus mon podium : j'avais le sincère bonheur de voir mes collègues ramasser les lauriers de la reconnaissance, les voir éclater de joie… même si une petite inquiétude me pinçait chaque fois. Cette inquiétude de les voir un jour se brûler les ailes, tels des Icare aveuglés.

Aussi, quand les poussières d'étoiles s'éloignaient, je ne manquais pas de revenir sur le sujet avec certains d'entre eux. Pas pour éteindre cette flamme, mais plutôt pour les aider à mettre à sa juste place cette reconnaissance : elle ne pouvait être *tout*, elle pouvait aussi un jour se retourner contre eux et les détourner de leur authenticité. Il fallait qu'ils sachent qu'ils existaient bien avant, bien au-delà de ces soirées de congratulations superficielles.

Je voyais dans mes conversations parallèles de leader métamorphosé une vraie raison d'être : aider ces jeunes à ne pas se perdre et à grandir dans le métier qu'ils avaient choisi. Délicate démarche d'équilibriste que cet accompagnement nouveau : je voulais devenir un leader stimulant dans un métier discutable tout en étant un inspirateur de l'humilité. Comme si dans une industrie qui se gave d'artifices et d'éphémères plaisirs, je pouvais pratiquer une direction qui s'inscrivait dans la profondeur, dans l'authenticité.

JE voulais devenir un leader stimulant dans un métier discutable tout en étant un inspirateur de l'humilité.

Tout devenait affaire de cohérence ici : il me fallait ÊTRE ce leader, ne plus jouer un rôle. Je ne mériterais ma place et le respect qui l'accompagne que dans ma sincérité à assumer mes décisions dans une pleine transparence.

Une crise chez Cossette me donnerait bien vite l'occasion de valider ma démarche.

L'année avait été mauvaise, les chiffres en berne et les licenciements inévitables.

Je devais mettre à pied 14 personnes à la création ; on avait affaire ici à un choix fondamentalement économique.

Les semaines qui précédèrent ces difficiles annonces furent un vrai calvaire. J'avais par le passé vécu des moments de ce genre, mais ici j'avais changé.

Je ne voyais plus simplement des salaires à couper, j'étais rentré en profonde empathie avec chacune des personnes de mon service et plus les jours passaient, plus chacune devait rester. Sauf que je devais couper.

Et là, je pris toute la mesure de mon nouveau rôle. Chacune de ces personnes qui partiraient demain n'avait aucunement démérité : chacune était une richesse, chacune existait au-delà de sa fonction dans l'agence, chacune était. Et serait.

Pour chacune d'entre elles, je pris le temps de faire le portrait de ce que je trouvais de bon, de beau, de riche au-delà du métier, de son rôle à la création.

Ce fut en ces tristes instants des éclairs de lumière : ces personnes étaient toutes bien plus grandes que leur métier.

Bien sûr qu'elles allaient apprendre cette décision avec amertume, sinon colère, mais si j'étais capable de leur exprimer qu'elles n'étaient pas ici jugées, encore moins méprisées, elles risquaient de sortir de mon bureau un peu moins anéanties.

Il me fallait donc prendre le temps de leur expliquer qu'elles avaient en elles un talent, une personnalité bien plus large que celle que la publicité leur avait taillée jusqu'à présent.

Ce matin-là fut épouvantable, pour ces gens d'abord.

Certains me donnèrent ce petit espace de rencontre malgré la funeste annonce, d'autres se levèrent très vite, démolis et sourds à tout autre échange. Chacun a été abordé ce jour-là avec attention, sincère intention. J'avais été en cohérence avec mes valeurs.

Quelques jours plus tard, j'en serais doucement récompensé. Certaines de ces personnes « remerciées » reprirent la conversation, allèrent plus loin dans cet échange sur leurs possibles lendemains qui chantent et non qui déchantent. Je voyais là une première preuve tangible qu'on pouvait agir autrement, que le vrai pouvoir du leader en ces circonstances avait été d'aborder l'autre dans toute son humanité fragilisée.

LE vrai pouvoir du leader en ces circonstances avait été d'aborder l'autre dans toute son humanité fragilisée.

Cela n'enlève rien à l'inhumanité de la situation alors vécue, mais j'ose espérer aujourd'hui encore que ma façon de faire a adouci un tant soit peu l'incontournable dureté de la décision.

CHAPITRE 8

SUR LE CHEMIN DE L'HUMUS

Au tournant de 2004.

Un livre, *Les fous du roi*[8], attirait mon attention.

De par son titre sans doute, de par les propos de son auteur certainement.

Rémi Tremblay, fondateur d'Adecco au Canada, expliquait avoir quitté sa boîte, fatigué de vivre l'entreprise qui en veut toujours plus, découragé de cette entreprise qui abîme ses employés, inquiet de cette entreprise qui met ses leaders en crise. Il y avait là coup de gueule, coup d'arrêt d'un leader qui refusait un autre pas vers ce vide de sens qu'il anticipait toujours plus chaque jour. Rémi Tremblay annonçait dans la foulée la naissance de sa petite entreprise Esse Leadership, espace de rencontres né pour aider les leaders du Québec à se rapprocher de leurs propres valeurs, rétablir ainsi leur confiance et ne plus être les fous de quelque roi aveugle et désincarné.

À l'époque, je me voyais confier la plus haute responsabilité créative dans l'agence Cossette. La présidente de l'époque, Suzanne Sauvage

8 Rémi Tremblay, *Les fous du roi*, Éditions Transcontinental, Montréal, 2004, 120 pages.

– une personne aux valeurs humanistes particulièrement inspirantes – me demandait de prendre en charge le virage convergent de la création, ce qui impliquait le regroupement progressif de toutes les disciplines de la communication. Le numérique nous poussait à réinventer notre quotidien et bien des métiers se voyaient discutés, sinon remis en cause.

Cette rencontre avec Rémi ne pouvait mieux tomber.

Ma « mue spirituelle » entamée ces dernières années, mes questionnements croissants sur mon leadership et ce nouveau défi qui se présentait : tout semblait se mettre en place pour une transformation en profondeur de ma façon de travailler. Ma façon d'être.

Il était temps que mon leadership arrête d'être un reflet d'une quelconque posture.

Il était temps que mon leadership cesse d'être un rôle avec ses discours prémâchés.

Il était temps que mon leadership entre en lien avec la terre, mon humus.

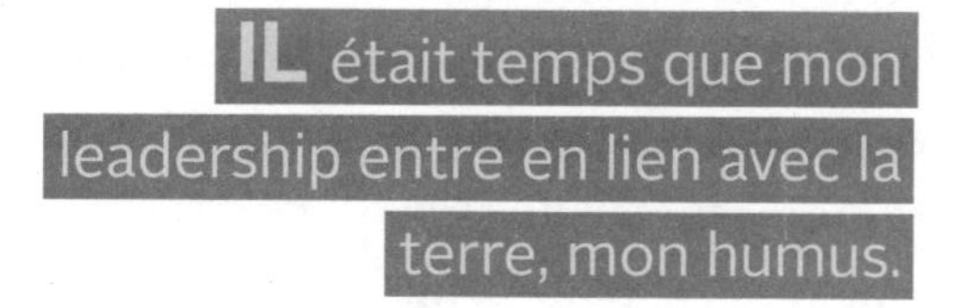

Cet humus, matière organique qui, par sa capacité d'échange naturelle, nourrit les racines des plantes d'azote, de phosphore et autres éléments nutritifs essentiels à la croissance du végétal. J'aimais cette idée, cette image du leader qui, les deux pieds dans sa glaise, allait trouver en sa profonde essence l'énergie qu'il pourrait ensuite partager avec le monde qui l'entoure. Il y avait là métaphore inspirante, d'autant plus que derrière cette racine latine *humus* se cachait à peine un mot bien déterminant : l'humilité.

Gandhi nous avait enseigné que « nous devions être le changement que nous voulions voir dans le Monde » et là, je ressentais enfin de manière forte et apaisante que ce chemin était le bon, que ce chemin avait l'évidence de l'authentique. Je rejoignais donc un des premiers groupes de réflexion d'Esse Leadership pour travailler cet immense chantier qu'est devenir un meilleur humain, un meilleur leader. Nous étions une belle douzaine de chefs d'entreprise et autres vice-présidents issus du public ou du privé, tous curieux de découvrir une nouvelle façon de diriger, d'accompagner notre entreprise en nous écoutant d'abord, en explorant nos valeurs profondes, mais surtout en assumant un défi « révolutionnaire » pour chacun d'entre nous : être nous-mêmes.

Cela peut paraître bien simple mais de fait, moi qui avais passé ma vie à jouer dans une pièce que je n'avais pas choisie, moi qui avais mis des costumes qui n'étaient pas les miens, moi qui avais accepté des mises en scène qui ne me correspondaient nullement, je découvrais le beau chantier de devenir moi-même. Mes nouvelles responsabilités professionnelles se trouvaient accompagnées d'un espace opportun de réflexion où je pourrais puiser inspiration, écoute… étincelle. Cossette à l'époque, c'est près de 500 personnes à Montréal, une vraie machine de guerre dans le monde publicitaire où un vice-président de création concentre bien des regards, concentre bien des attentes. J'avais l'âge de mes artères et je savais déjà que c'était là sans doute un de mes derniers « grands » postes, sinon le dernier. Faire de ce chapitre celui de mon enracinement dans l'authenticité, la cohérence à travers le respect profond, l'écoute empathique et le partage généreux devenait pour moi le choix d'une

FAIRE de ce chapitre celui de mon enracinement dans l'authenticité, la cohérence à travers le respect profond, l'écoute empathique et le partage généreux devenait pour moi le choix d'une vie, de ma vie.

vie, de ma vie. Je sentais que tous ces dérapages qui avaient marqué ma carrière resteraient, bien sûr, mais ils pourraient être rangés pour être pardonnés. S'ouvrait ainsi, à l'insu de ceux avec qui je partageais mon quotidien professionnel, un nouveau chantier très intime dont j'étais maître d'œuvre. Je pourrais chaque jour en mesurer les progrès à travers la réalité de mes proches à la maison, au travail.

Et il était vaste, ce chantier !

Apprendre à décider, mais avais-je assez discerné ?

Et si la responsabilité n'impliquait pas forcément la culpabilité ?

Et la carrière – ce mot qui veut dire creuser – n'est-elle pas synonyme de morbidité, d'enterrement, plutôt que de réalisation ?

Et le fruit de mes rencontres, qu'en avais-je fait ?

Et moi qui suis en communication depuis bientôt 30 ans et qui fabrique du commun, qu'ai-je vraiment apporté à ce commun ?

Et si mon pouvoir n'était qu'une illusion ?

Pourrais-je me passer de l'expression du pouvoir pour aller vers l'intensité rayonnante de l'inspiration ?

Les semaines, les mois déroulaient ainsi leur chapelet de questions, de doutes, mais aussi d'éveils. La beauté de la chose, c'est que je vivais cette réflexion en toute discrétion, cela m'enlevait toute pression de l'échéancier, du résultat. Je menais cette mue en travaillant ma présence en tout. Cet ego qui m'avait guidé si longtemps était maintenant identifié comme un méchant piège qui n'avait fait que m'isoler des autres, de moi-même.

Hier encore, je me pressais – ou plutôt je prétextais la pression – pour décider, trancher (quel mot !), et là je découvrais que les choix pouvaient souvent mieux s'imposer à tous dans le partage, le dialogue. Que discerner, c'était avant tout partir à la rencontre de soi, mais aussi du bien commun, un bien qui n'a rien à voir avec l'ambition, le pouvoir.

JE découvrais que les choix pouvaient souvent mieux s'imposer à tous dans le partage, le dialogue.

De plus en plus, je me retrouvais en réunion et m'imposais de parler en dernier, non pour prendre un quelconque ascendant sur l'issue d'une discussion, mais plutôt pour observer la construction des points de vue et chercher ce qui rassemblerait, ce qui créerait un certain enthousiasme collectif. Ma découverte du silence ou plutôt de l'écoute dans la présence devenait un vrai bonheur parce que j'y décelais de nouvelles richesses, à commencer par celle de la recherche du meilleur pour tous.

Cette capacité de décider que je prenais hier encore pour du courage n'était en fait qu'une fuite, un renoncement à l'idée que les grandes choses se construisent d'abord grâce au collectif. Je prenais conscience que le courage sans cette sagesse qu'est l'écoute de l'autre n'est que folie égocentrique et que le milieu de la pub était le terreau parfait pour nous faire croire en cette chimère.

Je vivais le langage qui ne blesse plus, j'incarnais le regard qui aime. J'écoutais enfin. Ouvert.

JE vivais le langage qui ne blesse plus, j'incarnais le regard qui aime. J'écoutais enfin. Ouvert.

Une phrase d'un moine inspirant, Nicolas Buttet, à propos de la main qui désigne l'autre me revenait souvent comme un mantra : « Un doigt pour désigner, juger, mais trois doigts pour ME juger. » Et derrière ce souvenir, je sentais que mon discernement de « nouveau leader » passait par cette unité incontournable de mon cœur et de mon esprit. Si je souhaitais devenir cette personne inspirante, ce leader inspirant, je me devais d'assumer mes valeurs les plus profondes, je me devais d'apprendre que m'arrêter en chemin n'était pas une perte de temps, je me devais d'accepter que mettre des règles en place était un geste de non-confiance.

Allait alors s'offrir à moi, au détour d'une journée passée au Gésu avec Matthieu Ricard, l'opportunité de partir suivre ses enseignements au monastère de Shéchèn, au Népal.

C'était avec tout un groupe issu des formations partagées par Rémi Tremblay. J'allais vivre là une des plus belles pages de ma vie : la confirmation puissante et indiscutable que, à tout âge, nous avons le pouvoir de changer, de grandir pour un meilleur avenir commun, y compris dans notre quotidien au travail. Depuis quelques années, je sentais sourdre cette nécessaire fusion du personnel et du professionnel, mais à la sortie de ces rencontres de Katmandou, il n'y avait plus aucun doute. Écouter ces enseignants religieux du bouddhisme tibétain assumer leurs contradictions, leurs doutes avec autant de douceur sereine me faisait prendre conscience que l'idée que nous devons être absolument parfaits était… parfaitement ridicule. Ces « lamas », peut-être plus par leurs gestes, leurs éclats de rire et leur humour serein que par leurs mots, nous apprenaient que la seule vraie et douce vocation que nous avions à développer ici-bas était notre aptitude à écouter ce qui est au plus profond en nous et… d'en assurer le partage.

J'ALLAIS vivre là une des plus belles pages de ma vie : la confirmation puissante et indiscutable que, à tout âge, nous avons le pouvoir de changer, de grandir pour un meilleur avenir commun, y compris dans notre quotidien au travail.

Ce séjour népalais venait de m'offrir là cette définitive et paisible assurance de la cohérence : je serais dorénavant une seule et unique personne, et ceux qui me verraient au travail et me rencontreraient par hasard dans le privé n'auraient plus jamais l'impression de l'étrange dualité, de la douteuse ambiguïté. Mon entourage familial allait sans doute en sentir l'effet. Quant à moi, je vivais cette nouvelle respiration comme une libération.

Comment mes collègues allaient découvrir la chose, comprendre ces nouvelles expressions, gérer leur relation avec moi, je ne pouvais le dire. Mais en même temps, profondément convaincu de la dimension salutaire de cette prise de conscience, je me sentais – sans doute pour la première fois de ma vie – bien, justement bien.

Et si les contreforts de l'Himalaya s'éloignaient dans mes rêves, la prise de conscience née là-bas allait me pousser à prendre un certain nombre de décisions, à faire certains choix qui relevaient beaucoup moins des gestes organisationnels habituels dans une entreprise, mais beaucoup plus de l'attitude.

Ainsi, ces évaluations qui sont le lot de tout leader, je les transformais en authentique partage où j'essayais d'aller plus loin dans les notions de bien-être au sens personnel du terme. Je tentais de repeser les enjeux de performance et de définir dans la foulée un nouveau champ où l'employé était évidemment beaucoup plus qu'une simple fonction ; c'était un être dont le bonheur quotidien au travail devenait la base de mon implication. Pas sûr que tous et toutes ont ressenti mon engagement, mais le temps a depuis fait son œuvre et mes retrouvailles tardives avec beaucoup d'entre eux me laissent penser aujourd'hui que ce nouveau chemin choisi à l'époque a porté ses fruits.

L'autre terrain où je pus très rapidement mettre en pratique mes nouveaux engagements fut HEC Montréal, où je donnais mon cours sur l'histoire de la pub et de la société de consommation depuis 2000.

La rencontre annuelle avec une nouvelle cohorte de jeunes professionnels – qui ont cet âge que j'avais quand, tout gonflé de mon ego, j'ai embarqué dans cette industrie – représentait l'espace idéal pour partager ce nouveau regard que j'avais sur mon *parcours de grande gueule.*

Ainsi, je suspendais à l'occasion la présentation de la matière pour partager un questionnement en lien avec ce métier qui m'avait si longuement aveuglé. Un samedi, alors que je venais d'apprendre le suicide dramatique d'un ami publicitaire, j'ai choisi de commencer le cours par une réflexion sur le dangereux miroir aux alouettes que constitue l'industrie publicitaire. Vingt minutes où je démontais les mécanismes de la reconnaissance superficielle qui m'avait fait tant de mal et qui venait sans doute de tuer cet ami. Les étudiants, tout en silence, devaient à la fin du trimestre s'en souvenir comme d'un des moments clés du cours… de leur jeune vie de professionnels.

MES plus profondes valeurs pouvaient enfin s'épanouir en toute liberté au travail, à l'université ou à la maison.

Loin de moi l'envie de jouer au gourou : je pensais plutôt à ma nouvelle façon de vivre ma vie sans frontières. Mes plus profondes valeurs pouvaient enfin s'épanouir en toute liberté au travail, à l'université ou à la maison. Cela me faisait un effet bizarre mais ô combien salutaire : je respirais de plus en plus du ventre. Cette fameuse respiration « pleine » qui vous oxygène intensément mais si paisiblement, cette respiration héritée de la méditation allait maintenant bien au-delà : c'était désormais ma respiration permanente. La respiration d'un leader en harmonie qui n'avait plus peur de remettre en question tous ces conditionnements passés, toutes ces certitudes.

Je prenais conscience que c'était mon vide intérieur d'hier qui avait provoqué cette course effrénée à la reconnaissance, que c'était cette culture de la réussite qui avait généré cette véritable incompréhension de la richesse de l'échec, que c'était cette démesure du pouvoir qui avait fait qu'un jour je ne m'intéressais plus à comprendre, juste à être compris.

Moi qui avais un temps cru que le métier de publicitaire était responsable de tout, je me devais de reconnaître que les déviances que j'y avais vécues n'étaient que reflets de mes propres inconséquences. De fait, il n'y a pas en ce bas monde beaucoup (assez ?) de métiers qui nous donnent l'occasion de vivre l'essence de nos valeurs profondes en totale cohérence avec celles de l'entreprise. C'est tristement dommage. Mais ce que je confirmais toujours plus tout au long de ce parcours tout neuf, c'est que la première personne que nous devions respecter, c'était nous. Poser des gestes fondamentalement guidés par nos sincères intentions et combinés avec notre claire capacité d'écoute des autres pouvait infléchir notre qualité de vie au travail, notre qualité de vie tout court.

Je mettais tout doucement en pratique plein de petits enseignements que mes rencontres m'apportaient.

Accepter les temps morts comme des temps riches. Construire sur l'échec en souriant. Remettre en avant ma naïveté de l'étonnement. Oublier de diriger pour apprendre à plutôt indiquer des directions, des possibles.

Ainsi je commençais à construire mon nouveau leadership, pas à pas, rencontre après rencontre.

Je ne peux citer toutes ces paroles qui ont marqué mon chemin et d'avance que ceux que j'ai oubliés me pardonnent. S'ils ont failli dans ma mémoire, ils sont dans mon cœur pour toujours. Dans le désordre de mon éternelle reconnaissance, je revisite avec plénitude ces rencontres parce que, chacune à sa façon, elles m'ont grandi toujours, assagi parfois, éveillé bien souvent. En quelques flashs, les voici.

Jean Proulx, philosophe à la parole si douce. Si j'ai commencé à devenir ce que je suis, je le lui dois. Ce fut un long chemin. Et en fait, il ne sera jamais fini.

Le prêtre Nicolas Buttet qui, au-delà de son grand engagement, m'a éclairé sur le fait que les structures ne peuvent décider du rôle des hommes parce qu'elles sont par essence déshumanisantes. Moi qui regardais ces structures avec ignorance sinon mépris, je commençai à les transgresser non en les bousculant, mais plutôt en passant par-dessus. J'y reviendrai.

Le moine Matthieu Ricard qui, au détour d'une question sur mes inquiétudes de trouver un jour une entreprise en harmonie avec mes valeurs, me rassura en me démontrant la paix que pouvait apporter la cohérence intérieure. De retour au travail, je n'oublierais jamais cette leçon et vivrais désormais plus détaché sans doute mais plus solide.

Albert Jacquard en visite à Montréal qui m'éclaira sur le seul surhomme qui existe : le « nous ». Brillante démonstration ce matin-là que celle de ce philosophe passionné qui – au-delà du « beau risque de la rencontre » et du ridicule concept de palmarès – me parla des deux millions de nouvelles connexions neuronales qu'un bébé mettait en place chaque seconde. Et que notre point de départ dans la vie comme partie de l'espèce humaine, comme groupe, était de prendre conscience du besoin fondamental des autres. Pour continuer à créer des connexions, les multiplier. Cette vérité, je me la suis appropriée avec tellement de bonheur que je pourrais presque parler aujourd'hui de ma gourmandise des autres.

Dominique Rankin, *medicine man* algonquin, qui me montre comment poser une bûche dans le feu sans lui blesser l'écorce, mais surtout nous raconte l'importance du non-jugement et de ce temps qui passe, meilleur allié des belles décisions. J'ai entendu chez Dominique cette formidable dimension qu'est notre éternité, une éternité où nous ne sommes que partie infiniment ridicule, mais responsable d'un tout : la nature. Cette conscience si incarnée chez cet homme, je me la rappelle depuis régulièrement pour être sûr de ne plus perdre ce sens... du sens.

Johanne de Montigny, psychologue et rescapée miraculeuse de l'écrasement d'un avion de Québécair en 1979, qui à la sortie d'un tel drame arrive à me parler du bénéfice réel des déséquilibres. Ces déséquilibres nous façonnent à condition de les accueillir comme des petits bonheurs. Je mettrai du temps à y parvenir, mais aujourd'hui ces déséquilibres ne me touchent plus au point que je me demande s'ils sont encore « déséquilibres » ou pas plutôt plages d'opportunités.

Marie de Hennezel, spécialiste de l'accompagnement de fin de vie, qui nous raconte que dans le deuxième avion qui allait se jeter sur les tours du World Trade Center en 2001, les passagers se sachant condamnés n'envoyaient que des textos d'amour. Quelle image pour nous démontrer l'indispensable conscience que tous les leaders doivent garder de leur finitude ! Et avec elle, cette nécessité absolue de travailler au quotidien notre paix intérieure. Elle nous racontait comment toujours être capable de vivre notre leadership grâce à cette sérénité des gens qui savent que c'est peut-être leur dernière heure. Je dirais qu'avec l'âge, cet enseignement prend plus de légitimité. Sauf que c'est une totale absurdité de ne pas vivre cette sagesse... un peu plus tôt.

Le père Benoît Lacroix, avec son âge bien sage, qui débarque plus spirituel qu'un religieux et, entre deux hésitations souriantes, revient sur l'importance cruciale de l'intelligence émotionnelle et démontre du haut de son siècle qu'il ne faut jamais lâcher ses valeurs. Moi qui venais alors de refonder mon quotidien sur ces dernières, je vibrais à l'unisson : je tenais là une preuve de plus de la légitimité de ma démarche.

Et puis Ani Lodrö Palmo, guide spirituelle québécoise revenue à Montréal après plus de 10 années passées à Gampo Abbey au bout de la Nouvelle-Écosse. Ani qui du haut de son mignon mètre cinquante me donna le goût d'enfourcher le « cheval du vent », ce symbole de courage qui emporte la compassion et nous permet de galoper au plus loin de nos bonnes intentions. J'irais la rejoindre pour un séminaire, histoire de creuser ces notions si essentielles que sont l'éveil, le vrai, l'authenticité.

La vie allait m'envoyer tout un signe, tout un cadeau. Valérie, ma compagne, m'avait annoncé lors de notre première rencontre qu'elle était marraine d'une petite Marie-Josée, petite Chinoise adoptée par sa meilleure amie, Chinoise elle aussi. Les années passaient et puis… un jour de 2009, son amie lui annonce son cancer, sa condamnation.

Marie-Josée serait bientôt orpheline, pour la deuxième fois. La question était simple : et Marie-Josée ? La réponse était encore plus simple : Marie-Josée serait notre fille. Depuis, il n'est pas un jour sans que je me réjouisse de la voir dans ma vie, notre vie.

Grâce à cette enfant tombée d'ailleurs, j'ai avec tendresse découvert ce papa que j'étais devenu, un papa tout transformé en douceur. L'homme devenu cohérence pouvait – sur le tard, il est vrai – étrenner tous ces apprentissages humains au quotidien.

Bonheur infini que pouvoir être papa une autre fois, transformé, mis à jour, mais surtout débarrassé de ces mots maladroits, de ces gestes paternels d'un autre temps.

Merci Marie-Josée d'être dans ma vie pour toujours.

BONHEUR infini que pouvoir être papa une autre fois, transformé, mis à jour, mais surtout débarrassé de ces mots maladroits, de ces gestes paternels d'un autre temps.

En fait, moi qui m'étais construit sur le « je », je me remodelais à travers la beauté du « nous ». Cette notion participative, ouverte, toute en générosité et en écoute s'imposait à travers toutes ces rencontres. Tous ces hommes, toutes ces femmes rencontrés avaient en commun cette riche dynamique qu'est le groupe.

Que ce soit pour son potentiel fertilisant ou son authentique chaleur réconfortante, penser « groupe » devenait ma nouvelle voie. J'allais calmement inclure ce nouveau prisme dans mes questionnements, mes choix et mes rencontres.

Et il y en aura de ces rencontres plus fugaces, pas moins intimes, souvent aussi intenses que je n'aurais jamais vécues si je ne les avais pas au préalable juste acceptées sans aucune idée préconçue, sans aucune autre attente, sans un quelconque objectif.

La grande leçon qui vaut toutes les autres est au croisement de tous ces enseignements chanceux.

J'avais décidé de m'ouvrir, j'avais décidé l'humilité, j'avais décidé la fragilité.

J'AVAIS décidé de m'ouvrir, j'avais décidé l'humilité, j'avais décidé la fragilité.

J'avais accepté ces rencontres inspirées. Pour en tirer le juteux fruit. Mais tout le fruit.

La « grande gueule » d'hier en avait pris plein la gueule et n'était plus trop « une grande gueule ».

Restait à voir si cette gueule plus aimable que je me découvrais être devenu serait capable de passer à travers une tempête.

CHAPITRE 9

POSTURE D'IMPOSTEUR

Ce matin de décembre 2010, quand je stationnai mon véhicule devant l'entrée de Radio-Canada, j'avais le cœur tout à l'envers.

Nommé directeur général de la radio, je réalisais un rêve depuis longtemps oublié : en effet, une des raisons majeures qui m'avait poussé à choisir une maîtrise en journalisme était de faire de la radio.

C'était il y a 38 ans, puis la vie m'avait détourné vers d'autres possibles et fait que cette idée tomba dans les regrets, sinon l'oubli. Il y avait dans ce cadeau tardif bien des leçons, mais je n'en retiendrai que deux particulièrement édifiantes.

Deux ans auparavant, invité à présenter une conférence devant les cadres de Radio-Canada, je m'étais dit que si un jour je pouvais espérer rejoindre cette entreprise prestigieuse, il me fallait être clair dans mes intentions. Aussi, je pris un soin tout particulier à soigner cette intervention pour que, au-delà du sujet, cette direction radio-canadienne puisse découvrir une personne, sinon un talent qui aurait sa place à ses côtés.

Quelques jours plus tard, Sylvain Lafrance, alors vice-président des services français, m'invitait à échanger sur un hypothétique poste de directeur général sans trop préciser. Moi je le fis, préciser.

Ce serait la radio. Les mois coulèrent et un beau jour, alors que je dessinais tout doucement mon départ de la publicité, le téléphone sonna.

C'était Sylvain. Ce serait la radio.

J'avais travaillé toutes ces années mon authenticité, la clarté de mes intentions, j'en récoltais le fruit : je travaillerais dans une radio. Enfin.

L'autre enseignement plus surprenant mais ô combien délicieux : tant que ce n'est pas fini, ce n'est pas fini. Bien simple, me direz-vous, pourtant ils sont nombreux ces rêves enfouis, rangés, *naphtalinés* au nom du temps, de nos faux prétextes, de nos petites lâchetés et autres excuses maladroites. J'allais sur mes 60 ans, l'essentiel de ma carrière était derrière moi, et je me sentais comme un gamin devant un sapin de Noël éclatant. Le sapin, c'était plutôt la tour de Radio-Canada, moins éclatante certes, mais ce matin-là je pouvais dire « *never say never* ».

J'AVAIS travaillé toutes ces années mon authenticité, la clarté de mes intentions, j'en récoltais le fruit: je travaillerais dans une radio. Enfin.

Si mes dernières années chez Cossette m'avaient permis d'étrenner mes nouvelles orientations humaines et spirituelles comme leader, j'avais secrètement décidé que, à Radio-Canada, je ne serais plus dans l'à peu près : je serais pleinement moi-même.

Adieu posture. Et le défi était de taille, *Le Devoir* titrait :

Qu'est-ce qu'un créatif de slogans et autres campagnes commerciales allait faire à la radio publique ?

Qu'est-ce qu'un Belge plus habitué aux jurys de Cannes (Festival de la pub le plus célèbre au monde) qu'aux arcanes du service public allait comprendre à la direction d'employés, syndiqués de surcroît ?

Qu'est-ce qu'un directeur de création publicitaire allait comprendre de la gestion de stars du microphone ?

Est-ce que cet ex-chroniqueur – relativement connu d'un côté de la vitre du studio – allait nous obliger à tomber dans le star-système de la télé et nous obliger à vivre au rythme du média privé ?

Bref, à moi qui voulais vivre au-delà de toutes les postures, on me prêtait toutes les impostures.

Sitôt franchi le seuil de la grande maison, j'avais pris ma décision : je ne prendrais aucune décision. Aucune décision avant d'avoir rencontré les employés, TOUS les employés. Je demandai donc à ce qu'on m'organise des rendez-vous d'une heure et demie avec des groupes de tout au plus 12 employés issus de différents services.

Pour lancer l'invitation, je préparai un courriel avec trois questions bien simples, bien ouvertes : que voudraient-ils voir *disparaître, se développer* ou *apparaître* dans leur radio de demain ?

Pour me présenter plus personnellement, je joignis deux vidéos, l'une où j'étais l'invité de Christiane Charette à *Cabine C*[9], l'autre où j'apparaissais avec d'autres dans l'émission *Second Regard* consacrée à la démarche de la Maison des Leaders. Dans ces deux documents, j'étais moi, tout moi, seulement moi.

Si mes nouveaux employés, collaboratrices et collaborateurs devaient me découvrir et mieux me connaître, ce serait là, dans cette authenticité assumée, douce et sereine. Je prenais là le risque d'afficher une

9 Émission conçue par Jean-Sébastien Ouellet, animée par Christiane Charette et diffusée à ARTV de 2007 à 2009.

posture moins conventionnelle, plus fragile du leader, mais c'était ce leader que j'étais devenu, que je serais pour eux.

JE prenais là le risque d'afficher une posture moins conventionnelle, plus fragile du leader, mais c'était ce leader que j'étais devenu, que je serais pour eux.

Au bout d'un peu plus de quatre mois, j'avais eu l'occasion, la chance d'avoir vu tout le monde. Plus que vu, plus qu'entendu : écouté tout le monde.

Et quelle ne fut pas ma surprise de découvrir que jamais un directeur auparavant n'avait pris le temps de ce genre d'échanges, que souvent les employés autour de la table ne se connaissaient pas vraiment ou parfois même pas du tout.

Ils travaillaient dans la même radio, se croisaient sans doute au quotidien… mais voilà…

Ce furent quatre mois extraordinaires où non seulement je découvrais la richesse des talents de la maison, mais aussi, paradoxalement, des tristesses, des désillusions, des regrets propres d'une équipe qui souffrait d'un mal tout simple mais si douloureux : le manque d'écoute, de considération. Parmi ces gens de radio si passionnés, plusieurs vivaient bien des questionnements, et comme nous étions en plein tourbillon du numérique s'ajoutait pour nombre d'entre eux la peur des lendemains, l'inquiétude de voir un monde – leur monde radio – s'effacer devant le tsunami des images, des écrans.

Et moi, amoureux de la radio depuis mes plus jeunes années, je me sentais investi de répondre aux stratégies du groupe, aux plans de la présidence, et investi surtout de cette mission silencieuse, toute simple et pourtant fondamentale : redonner le goût de croire en leur métier, de croire en la radio. De croire en eux.

Au-delà des doutes que je voyais poindre en bien des coins de la conversation, je sentais très clairement aussi ce feu sacré qui les nourrissait, ce feu de créer, ce feu d'imaginer d'autres aventures radiophoniques, et cela me rassurait un peu plus chaque jour.

Sylvain Lafrance m'avait demandé de rénover la radio et ne m'avait fixé aucune barrière, même pas celle d'aller recruter à l'extérieur.

J'avais tout ce qu'il fallait devant moi. Il leur manquait certes de l'air, de l'espace et sans doute un peu de confiance – pas en eux, bien sûr – mais en la direction.

Je savais que mes premières décisions seraient décortiquées, disséquées... mais au fur et à mesure que mes rendez-vous déboulaient, ma nouvelle écoute clairement plus bienveillante et curieuse me révélait toute la richesse sur laquelle je pourrais construire la radio de demain. Rien à inventer, à importer, tout était là.

Les anciens avaient besoin d'être rassurés : je leur demanderai plus de générosité pour accueillir les plus jeunes.

Les plus jeunes avaient besoin de se faire une petite place : je leur donnerais du temps pour trébucher et devenir meilleurs.

Et ainsi de suite, je vivais cette équipe au fil des échanges. J'y découvrais toute la beauté de la rencontre... loin de la pub, mais avec ses ego aussi – démesurés chez certains –, ses fragilités souffrantes, ses désirs de création inquiète.

Il me fallait comme directeur apporter confiance et surtout créer un climat propice à l'audace, au renouveau, sans trop brusquer les « ronrons » et les « on a toujours fait comme ça ». Il y avait là matière à confrontations sinon blocages : devant un tel chantier, il me fallait repérer les talents en mouvement et, en comptant sur eux, je savais que le reste de la troupe choisirait naturellement sa voie. Il y aurait ceux pour qui tout changement serait déclaration de guerre, une minorité, je le devinais ; et il y aurait les autres, les hésitants qui avaient besoin de comprendre, de sentir avant d'embarquer.

Tout cela ne pouvait se faire qu'à une condition, impérieuse et incontournable : expliquer, expliquer, prendre le temps d'expliquer.

En regard de l'ampleur des travaux, il me fallait d'abord me rassurer sur ma garde rapprochée : une belle équipe, solide, expérimentée, dévouée, qui devait embarquer dans la rénovation de cette radio qu'elle avait avec passion créée hier, mais qui ne serait forcément plus celle de demain. Le talent de cette équipe était d'évidence là, mais vu la méthode que je voulais implanter – écoute, écoute, écoute –, il me fallait d'abord m'assurer de notre proximité de valeurs quant à la façon de conduire le changement. On ne parlait pas du quoi, mais du *pourquoi* et du *comment*.

C'était la clé pour moi que, dans l'équipe de direction, nous soyons bien alignés sur la méthode : il n'y a pas pire qu'un *boss* qui parle sur un ton et le reste de l'équipe sur un autre. Je pris le temps de bien clarifier les attitudes que je souhaitais voir dominer dans les rencontres et surtout bien préciser celles à proscrire. Demain, à quelque niveau de l'entreprise, je souhaitais voir cohérence de comportement, de langage et d'écoute.

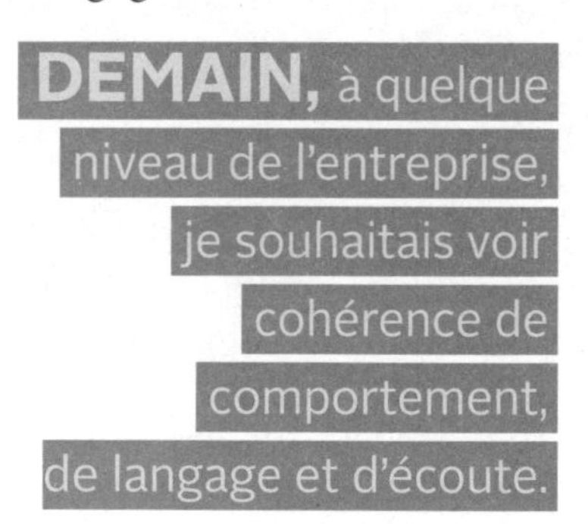

Ma chance fut alors de croiser Anne Sérode, qui travaillait déjà à Espace Musique. Je vis en elle le bras droit dont je rêvais. Elle avait les compétences, bien sûr, mais surtout la posture tout ancrée autour du respect et de l'écoute : personne ne pourrait désormais parler d'incohérence à la direction. J'étais entouré d'une équipe qui partait sur les mêmes valeurs pour mon plus grand et égoïste plaisir et j'avais la conviction d'offrir aux employés de la cohérence, de la clarté, en plus du respect et de l'écoute que seraient nos outils.

Le chantier pouvait commencer.

Il y avait là enjeu de pédagogie, de partage. J'avais affaire à des gens souvent brillants : un cadeau d'un certain point de vue, puisqu'il y avait avec eux potentiel d'espace de conversation, de territoires d'ajustement. La seule chose qu'il me fallait négocier, c'était le temps : c'est fou comme une entreprise doit gérer le changement avec doigté. Les uns veulent courir et trouvent tout trop lent, les autres sont sur les freins et ont peur devant toute accélération.

Et d'évidence devant de tels défis, certains se braquent durement et là apparaissent souvent les vraies décisions. Il me fallait supprimer certaines émissions, remettre en question certaines orientations, certaines animations et là surgissaient les clans, les complicités plus ou moins sincères.

Comme dirigeant tout neuf dans cette entreprise, j'avais établi une seule règle pour passer à travers : la transparence. Cela me coûta quelques claquements de porte, des menaces même, mais au final cela me rapporta de la reconnaissance et du respect.

Un matin, au milieu de ces mutations, j'appris qu'une employée d'une émission supprimée avait été choquée de la décision. Je l'invitai aussitôt dans mon bureau pour m'excuser – pas de la décision, j'avais assez d'arguments à faire valoir – mais de l'émotion négative que cela avait engendrée chez elle, que ni sa personne ni son métier n'étaient en cause, que son talent trouverait un nouvel espace pour s'exprimer.

Je la sentais mal à l'aise. En fait, mal à l'aise d'être devant un patron qui est dans la compassion et non dans le jugement : une posture qui lui était manifestement étrangère.

Ce petit événement illustre bien que notre comportement et ses valeurs qui le soutiennent sont au centre du succès de la rencontre. Je venais de l'éprouver plus par accident qu'autrement, mais je ne l'oublierais jamais.

Et ainsi de suite, la nouvelle grille des programmes se forgea sur les deux chaînes radio. Je sentais quelques anciens renâcler devant tant de bouleversements, mais la grande majorité de l'équipe radio voyait poindre une grille de programmes dans laquelle elle reconnaissait ces mois de rencontres, d'échanges. Et ces « je voudrais voir disparaître, se développer ou apparaître », les membres de l'équipe les reconnaissaient au détour d'un programme, d'un choix d'animateur, d'un changement d'heure.

Ce n'était pas totalement ma grille, c'était certainement notre grille.

J'étais impatient neuf mois après – une vraie grossesse – de la voir être annoncée et qu'on en parle.

Je serais servi.

CHAPITRE 10

L'ÉPREUVE DU FEU

Ces jours de divulgation de grille des programmes dans un média sont toujours des journées un peu sacrées.

On révèle des mois de travail devant un parterre de journalistes qui savent évidemment toujours mieux que quiconque qui doit garder son émission, qui ne mérite pas d'y rester. Amusante comédie où les chroniqueurs ont joué à la devinette depuis des semaines, parfois aux apprentis sorciers, histoire de montrer qu'ils sont à tu et à toi avec le milieu. Moi qui accouchais de ma première grille, j'avais juste hâte qu'elle soit en ondes.

Ce genre de conférence se doit d'être brève, concentrée sur la nouveauté, les découvertes, les nouveaux talents, les nouvelles voix : les journalistes ne sont pas trop patients devant la redite. Bref, ce midi-là, bien des sourires rayonnaient : Catherine Perrin reprenait l'émission de Christiane Charette, Marie-Louise Arsenault revenait avec une quotidienne autour de la littérature, la bande du *Sportnographe* s'annonçait différente, mais encore plus insolente, le bien manger débarquait dans notre assiette… et je m'arrête ici tant il y avait du mouvement.

Tout se déroulait impeccablement, on sentait les médias frémir devant autant de créations : ça présageait un apéro tout en congratulations et autres remerciements.

Que nenni.

Alors que se concluait la présentation, fit irruption depuis le fond de la salle notre héros du micro, Jacques Languirand lui-même.

ALORS que se concluait la présentation, fit irruption depuis le fond de la salle notre héros du micro, Jacques Languirand lui-même.

Hurlant à l'injustice, notre animateur se précipite vers l'équipe de communication de Radio-Canada et l'insulte de tous les noms pour avoir omis de le citer dans la conférence. À l'antenne depuis 40 ans et assuré de retrouver son studio, nous n'avions pas estimé devoir le rappeler, submergés que nous étions par le fil de nouveautés à annoncer et surtout dans le temps qui nous était imparti.

Manifestement, Jacques Languirand, du haut de son histoire avec la radio de Radio-Canada, ne l'entendait pas ainsi ce midi-là.

Moi qui me préparais à faire le service après-vente de notre grille, je me retrouvais devant des journalistes interloqués, des collègues pour le moins surpris, une haute direction choquée... autant de regards tournés vers moi avec dans les yeux cette question toute simple : « Bon, c'est toi son *boss*, qu'est-ce que tu fais ? »

Ça devait être mon Austerlitz, c'était mon Waterloo.

ÇA devait être mon Austerlitz, c'était mon Waterloo.

J'avais tout préparé pour justifier le micro à telle animatrice, expliquer telle suppression d'émission, argumenter autour de tel ou tel renoncement, mais pas cette sortie vulgaire et agressive de notre célébrité radiophonique. Et je n'avais pas trois jours pour y penser !

Nombreux étaient les employés qui avaient assisté à l'esclandre, et cela faisait neuf mois que je leur parlais d'écoute, de respect, ces valeurs avec lesquelles j'avais choisi de rentrer comme directeur général à Radio-Canada.

Pas de doute. Je tenais là mon épreuve du feu.

Je montai dans mon bureau aussitôt et fit appeler Jacques.

Il était évident que cette sortie ne pouvait rester sans conséquence : des employés de Radio-Canada avaient été insultés, publiquement de surcroît.

Et par qui ?

Par l'homme qui prenait l'antenne depuis 40 ans pour parler bienveillance, compassion, reconnaissance.

Il y avait là pour moi une double peine : celle de devoir sévir un modèle québécois extraordinaire, mais aussi celle de devoir expliquer au public le pourquoi.

Ce pourquoi peu reluisant, ce pourquoi salissant, ce pourquoi blessant.

Or, je ne voulais pas salir, pas blesser.

Puis, Jacques qui s'assied là devant moi dans le bureau, silencieux et déjà… parfaitement conscient de son inacceptable dérapage. Ma décision était prise, il ne peut y avoir de négociation : l'outrance avait eu 200 témoins au bas mot. Je lui annonçai donc sa suspension des ondes, sans plus.

La durée ? Je ne voulais pas prendre cette décision à chaud, mais pour moi, à cette minute-là, je savais déjà que je voulais le voir revenir.

On parle ici d'un immense personnage qui nous a ouvert les yeux depuis des décennies sur l'humain, sa complexité, sa nécessaire quête spirituelle.

On parle ici d'un vieil homme qui a cheminé à travers nos interrogations pour nous ouvrir des pistes d'intelligence en nourrissant des heures radiophoniques de sa voix sage, souvent grave.

On parle ici d'un auteur, conférencier, acteur, cinéaste... aux éclats de pensées aussi célèbres que ses éclats de rire.

On parle ici d'un monument.

Et ce monument, en le suspendant, je sentais que je risquais de le fissurer.

Moi, nouveau directeur général de la radio, qui étais-je pour suspendre cet homme, faire de l'ombre à cette étoile ?

Je n'étais que moi mais tout moi avec mes valeurs de respect, d'écoute, d'ouverture comme socle de mes choix, de mes décisions.

MOI, nouveau directeur général de la radio, qui étais-je pour suspendre cet homme, faire de l'ombre à cette étoile ?

Il y avait eu des mots méprisants, des gestes grossiers de la part d'une star qui s'est sans doute crue – l'espace d'un instant – au-dessus de tout et il était clair que cela était inacceptable.

De qui que ce soit. Y compris de Jacques Languirand.

Je me dois de vous avouer qu'à la minute où monsieur Languirand s'est relevé pour quitter mon bureau, je vivais une profonde tristesse. Cette tristesse de sanctionner un grand talent à l'aube de ses 80 ans, cette tristesse d'être celui qui osait un geste de lèse-majesté, cette tristesse surtout de celui qui risquait d'égratigner – à cause d'un écart stupide – une carrière exceptionnelle. Parce que oui, il était stupide cet écart : on avait ici été témoin d'une réaction d'un ego blessé de ne pas avoir été cité dans une conférence de presse. Y avait-il eu maladresse de notre part vu que Jacques traversait la quarantaine d'années au micro ? On pouvait en débattre, trouver une solution de rattrapage, mais pour moi là n'était pas la question.

Il y avait eu agression verbale, manque total de respect, et rien ne justifiait cette attitude.

Là commençait un chemin de croix qui allait durer six semaines.

De nombreux journalistes se braquaient (merci à ceux qui ont gardé la tête froide en ces journées de lynchage médiatique), les courriers de lecteurs s'enflammaient, les réseaux sociaux me fustigeaient ou exigeaient ma démission. J'étais devenu l'insolent qui avait manqué à tout devoir de retenue sinon de discernement.

J'étais le paria qui avait oublié qui était Jacques Languirand.

Bizarrement, toute cette effervescence négative autour de moi m'affectait peu même si je craignais que mes enfants soient emportés par cette vague de méchancetés et autres insultes à mon endroit.

La vraie bataille se livrait plutôt en mon for intérieur et bien sûr dans la *grande tour*.

Pour ma part, je voulais voir revenir Jacques Languirand à l'antenne depuis le début de l'affaire. Mais là se posaient les questions du « combien de temps la suspension » et du « comment le retour ». Je n'avais pas appréhendé que la confrontation la plus difficile que j'aurais à mener serait celle à l'intérieur de Radio-Canada. La présidence, outrée par le coup de gueule de Jacques, ne voyait pas son retour nécessaire ; 41 ans au micro, c'était pas mal assez, non ? On lui ferait une belle fête de départ et puis on passerait à autre chose.

D'autres personnes trouvaient que les bornes avaient été dépassées et qu'il fallait en faire un exemple.

Je me retrouvais ainsi au milieu de tensions, de suggestions sous-entendues, de pseudo-règlements de compte sournois avec comme tout bagage neuf mois d'expérience de service public. Ma boîte de courriels se remplissait de plaintes et tous ceux qui avaient regardé avec suspicion mon arrivée à la tête de la radio se délectaient de me voir mis en charpie sur Facebook et ailleurs.

Autant d'épreuves pour ce leader que j'étais devenu. Saurais-je me tenir droit dans cette tempête ? Aurais-je la solidité de ne pas renoncer à ces valeurs qui avaient si bien renouvelé mon quotidien ?

AUTANT d'épreuves pour ce leader que j'étais devenu. Saurais-je me tenir droit dans cette tempête? Aurais-je la solidité de ne pas renoncer à ces valeurs qui avaient si bien renouvelé mon quotidien?

Six semaines de suspension fut ma première décision.

Lourde, certes, mais juste à l'égard de l'écart commis. Et continua le long et pénible harcèlement pour me pousser à muter cette sanction en remerciement définitif.

Rien ne me fit plus plaisir que cette période-là : plus on voulait me forcer à revenir sur ma décision, plus je me sentais ancré dans celle-ci. La mue de mon leadership, de ma personne que j'avais opérée depuis bientôt 10 ans avait réussi !

Personne ne me ferait dévier, car je n'avais pas adopté des valeurs, j'étais devenu ces valeurs, elles étaient mon quotidien. Je me sentais alors assez fort pour découvrir cette merveilleuse émotion : la liberté.

Quoi que voulût mon entourage à l'encontre de Jacques Languirand, je me sentais en pleine cohérence. Libre.

Au nom du manque de respect et de la bienveillance, j'avais assumé hier une lourde sanction. Librement.

Au nom du respect, de la compassion et de la reconnaissance, j'assumerais demain son retour par la grande porte. En toute liberté.

Il ne me restait qu'à revoir Jacques pour organiser ce retour, la présentation de ses excuses aux personnes insultées et la rédaction du communiqué.

AU nom du manque de respect et de la bienveillance, j'avais assumé hier une lourde sanction. Librement.

Moment curieux que ces retrouvailles autour d'un thé pris à 11 heures du matin dans une chambre de l'InterContinental de Montréal ; je souhaitais en effet que tous ces points se règlent entre nous deux, dans le respect et à l'abri des regards et autres indiscrétions.

Ce fut simple, doux...

Je retrouvais le Jacques Languirand de toujours, inspiré, attentionné ; je retrouvais même son éclat de rire, tellement plus beau que celui qui nous avait séparés.

Pour être sûr que ce retour était aussi un pardon – en tout cas, de ma part –, nous avons ainsi convenu de nous retrouver, avant son retour en studio, en tête à tête à une table d'un restaurant couru par tout Radio-Canada.

En novembre, monsieur Jacques Languirand avait retrouvé son micro, ses auditeurs.

Et moi, j'avais découvert ma vraie liberté, cette liberté heureuse construite sur des valeurs essentielles nourries d'humanité, de spiritualité.

Amusant que ce soient précisément celles qui avaient fait la célébrité de notre animateur-vedette.

Le leader que j'étais devenu n'avait plus grand-chose à voir avec la grande gueule de naguère. Pour mon mieux-être d'abord, et sans doute aussi pour celui de ceux qui m'entourent, de proche et de loin.

LE leader que j'étais devenu n'avait plus grand-chose à voir avec la grande gueule de naguère.

CHAPITRE 11

IL EST BIEN TARD, MAIS PAS SI TARD...

Il est loin ce jour où je voyais un homme s'effondrer dans ce commissariat de police de Léopoldville pour avoir dérobé quelques ridicules mouchoirs.

Elles sont loin ces années d'humiliation que me valait ma rousseur, années où je me réfugiais dans les livres faute de rencontres.

Elle est si loin cette faculté universitaire où je découvrais l'arrogance pour mieux gommer mes inquiétudes.

Elles sont revenues en force ces années de Sahel où j'effleurais sans la voir ma première sagesse.

Elles sont encore si proches ces 30 années de publicitaire gonflée à l'hélium de l'ego.

Je regarde aujourd'hui ces chapitres d'une vie plutôt classique et je souris, de ce sourire d'en avoir tiré un enseignement si simple et pourtant essentiel : on peut toujours corriger la trajectoire d'une vie.

Oh bien sûr, il est tard dans mon cas : cette grande gueule aurait pu gueuler moins longtemps, moins fort.

ON peut toujours corriger la trajectoire d'une vie.

Mais je ne peux réécrire cette ligne de vie : elle est.

Je peux par contre me réjouir en douceur de lui avoir donné une autre direction, une direction de paix intérieure immense.

Cette paix intérieure est riche de bien des dimensions.

Je mettrais en tête de celles-ci la **bienveillance**, pour moi d'abord et ensuite pour les autres. J'y ai découvert l'intensité de belles rencontres, ces *beaux risques* comme les nommait Albert Jacquard. Ces rencontres m'ont aidé à laisser derrière moi cette vieille peau de mue, si pesante de douleurs, de blessures, de revanches.

Je me félicite de ce long travail – réussi grâce à bien des talents qui m'entourent encore aujourd'hui –, ce travail qui me permit de cerner, définir et incarner les valeurs de ce qu'on appelle ailleurs la *bonté fondamentale*.

Je parle de ce socle personnel que j'ai bâti autour de beaucoup d'authenticité, d'un courage persévérant et d'un souci absolu d'harmonie.

L'**authenticité** que je vis si bien aujourd'hui, c'est cette écoute au plus profond de moi-même de mes intentions. Vivre ses intentions au risque parfois de ne pouvoir apporter de réponse : je n'y vois en fait aucune frustration, juste un bel exercice de patience et de lâcher-prise.

Quant au **courage**, il est devenu plus simple à vivre dès le moment où j'ai appris à l'appuyer sur la compassion : aimer l'autre tel qu'il est donne tous les courages et neutralise toute adversité.

Non, l'enfer ce n'est pas les autres, c'est trop souvent soi-même.

NON, l'enfer ce n'est pas les autres, c'est trop souvent soi-même.

On découvre ainsi dans la foulée l'**harmonie** d'être soi en toute évidence, solide dans notre curiosité de l'autre, ouvert et dépouillé de nos certitudes arrogantes.

Cela m'amène à cette dimension que je suis heureux d'incarner aujourd'hui : la cohérence. Cette **cohérence** qui nous permet de vivre notre vie sur un seul et unique plan, cette cohérence qui m'offre l'immense cadeau d'avoir pu abandonner les postures « travail » versus « vie privée » et d'assumer en toute simplicité et en toute transparence mes valeurs.

Je ne peux que revenir sur l'émerveillement qui éclaire désormais mon quotidien : au fil de ces 12 années de refonte, de questionnements, de doutes, de tristes dérapages aussi, j'ai appris à m'ouvrir au doux parfum de la magie du monde.

J'AI appris à m'ouvrir au doux parfum de la magie du monde.

Cela doit paraître bizarre de lire ces mots « spirituels », mais on n'imagine pas à quel point le tourbillon de nos quotidiens accélérés a abîmé notre capacité d'émerveillement.

Nous émerveiller, en fait, c'est juste nous donner le temps de vivre notre quotidien dans toute notre présence, en évitant cette *intranquillité* qui nous fait ruminer le passé définitivement passé, puis anticiper des futurs ridiculement hypothétiques.

Grâce au ralentissement de mon rythme de vie, à ma nouvelle capacité à mieux hiérarchiser mes priorités, j'ai l'impression de plus en plus enivrante de voir mon temps se rallonger, et ces gestes – hier organisés dans l'impatience – découvrent maintenant la plénitude de l'allongement.

Pour terminer sur ces dimensions révélées à travers mon parcours de grande gueule, je ne peux qu'insister sur l'importance de la *parole juste*, moi qui avais fait du mot une arme de vengeance, une arme d'arrogance, une arme de reconnaissance.

J'ai appris la parole plus lente, la parole de sincérité nue, la parole qui réconcilie, la parole qui sait se faire silence.

Et ce plaisir que j'avais hier à balancer à tout va des répliques cinglantes a disparu.

J'AI appris la parole plus lente, la parole de sincérité nue, la parole qui réconcilie, la parole qui sait se faire silence.

Je veux juste m'excuser sincèrement, bien tard j'en conviens.

Je sais aujourd'hui que c'est moi qui me salopais la vie en nourrissant mon ego de formules blessantes.

C'est à moi que je faisais mal.

C'est sans aucun doute ici que la grande gueule a pris le plus gros coup sur *la gueule*.

Pour le meilleur.

« La solidarité existe-t-elle encore ou bien sommes-nous en perpétuelle confrontation les uns envers les autres ? Alors que les différences nous inquiètent, pourquoi ne pas les transformer en force pour nous mener plus loin dans nos échanges, le plus naturellement possible et partager notre authenticité en toute modestie ! »

– *De l'angoisse à l'espoir*, Albert Jacquard

Québec, Canada

Achevé d'imprimer le 9 mars 2016

Imprimé sur du papier Enviro 100% postconsommation
traité sans chlore, accrédité ÉcoLogo et fait à partir de biogaz.